LA DOULEUR DES VOLCANS
d'Hélène Pedneault
est le quatre cent trente et unième ouvrage
publié chez
VLB ÉDITEUR.

LA DOULEUR DES VOLCANS

Mémoires courtes

Hélène Pedneault

La douleur
des volcans

Mémoires courtes

vlb éditeur

VLB ÉDITEUR
Une division du groupe Ville-Marie Littérature
1000, rue Amherst, bureau 102
Montréal (Québec)
H2L 3K5
Tél.: (514) 523-1182
Télécopieur: (514) 282-7530

Maquette de la couverture: Violette Vaillancourt

Illustration de la couverture:
Aline Martineau, *Équilibriste sur ballon*, sculpture de papier.

Composition et montage:
Les Ateliers C.M. inc.

Distribution:
LES MESSAGERIES ADP
955, rue Amherst
Montréal (Québec)
H2L 3K4
Tél.: à Montréal: 523-1182
        de l'extérieur: 1-800-361-4806

Dépôt légal: 2e trimestre 1992
Bibliothèque nationale du Québec
ISBN 2-89005-494-2

Ce jour-là, le 6 décembre 1989, j'ai décidé d'apprendre par cœur le nom de tous les volcans, comme un mantra, pour que le pus sorte de la Terre et qu'elle guérisse, étant donné que nos doigts ne seront jamais assez gros pour les crever comme des boutons...

Lettre à Rose Rose,
page 117 de ce livre

Éruption volcanique

UNE VIE. Un livre. Baroque comme la vie.

Une enfance, des lieux, des liens, de l'eau, des larmes, des lunes, des lettres, des lits, de l'ennui, des valises, des visages, des coups, des encoches au myocarde, des trains, des genoux éraflés, des photos, des riens, des éternuements, des histoires, des visites, des rêves, du sel, des rires, des rencontres, des sacs en plastique, des accidents, des portes fermées sur les doigts, des frissons, des femmes, de la folie, du soleil, des bijoux, des adieux, des dos, des cheveux, des souvenirs, des saisons, des raisons, des rumeurs, des hommes, des balançoires, des nouvelles, du froid, des taches, des tâches, des baisers, des cicatrices, des vitres cassées fraîchement lavées, des avions pris, des vitamines oubliées, des voix, des chats, du sommeil, des journaux, des âges, de la neige, de la mer, des mots, des misères, des mensonges, des musiques, des marques, des manques, des morceaux, des amours, des amies, des images, des maux, des mains, des matins, des morts, de la pluie, des pantalons, des parents, des peurs, du poivre, des pays, des parfums, des pas.

Quelques pas. Dehors, dedans. Tout est marqué. Les mots, l'amour, la mort. Des mémoires dérisoires, aussi courtes que la mémoire. Tout est faux dehors. Une vie. Une seule. Pêle-mêle. Tout est oublié. La vie, un sac à main ou un tiroir. Tout est vrai dedans.

Il n'y a pas de honte à vivre. C'est un exploit.

Une vie, un livre. Baroques.

Zone sinistrée

L'ÉCRITURE, c'est une zone sinistrée où les attentats contre la personne sont la monnaie courante, zone fréquentée par des poux qui pensent qu'ils sont dans une chevelure. Et le plus beau, c'est que les poux arrivent à nous faire croire aux cheveux.

C'est à n'y rien comprendre.

L'arbre est dans ses feuilles

S'IL Y AVAIT EU un carré Saint-Louis à Jonquière, dans les années soixante, il serait vite devenu un parking à cause des urbanistes qui venaient d'être inventés en vue de détruire. Pour sortir du bois, le Québec est entré dans le ciment.

Heureusement que le carré Saint-Louis n'était pas à Jonquière.

À Jonquière, nos vaisseaux d'or étaient des pitounes flottant sur la Rivière-aux-Sables qui coupait la ville en deux. Les pitounes flottaient en rangs tellement serrés que les ouananiches ne pouvaient plus sauter. Mais on pouvait marcher sur l'eau et traverser la rivière sur ce pont improvisé qui changeait de forme chaque jour.

Loin du carré Saint-Louis, pour moi, enfant, les pitounes n'étaient que des pitounes. J'ai compris plus tard, à cause de la senteur qui coupait l'appétit, que les pitounes étaient jetées dans l'acide comme les corps des femmes de Landru, mais pour devenir du papier.

Bien plus tard, j'ai su qu'il y avait des écrivains qui écrivaient des livres sur ce papier.

Beaucoup plus tard, j'ai su qu'il y avait un carré Saint-Louis avec des poètes nécessairement fous dans une ville mythique qui sentait le soufre, selon ma mère qui avait le nez très fin.

Et bien plus tard encore, j'ai fait de la pitoune une histoire personnelle pour écrire à mon tour, à cause des arbres qui se sacrifient pour nous.

Les arbres du carré Saint-Louis sont beaucoup trop littéraires pour devenir de vulgaires pitounes dans une vie ultérieure. Ils n'ont pas voulu se sacrifier ceux-là parce qu'ils voulaient écrire eux-mêmes l'histoire des gens. Ce qu'ils ont fait. Les arbres écrivent l'Histoire, comme nous, et gardent leurs livres plus secrets encore que ceux des bibliothèques d'Alexandrie ou du Vatican. Mais la Bibliothèque d'Alexandrie a quand même été détruite par des gens qui n'aimaient pas que les livres se souviennent de tout grâce aux arbres.

J'ai peur tout à coup. Les promoteurs du nouvel ordre mondial ont bombardé les souvenirs de toute l'Humanité en Irak, l'autre hiver. Ils ont eu peur de se souvenir qu'ils viennent du même monde que les Arabes. Je ne voudrais pas que des promoteurs véreux, qui détestent la mémoire comme la peste, se mettent à lorgner les arbres du carré Saint-Louis comme des pitounes – comme certains hommes regardent les femmes.

-Empung... Soputan... Una Una...Kerinci... Dempo... Krakatau... Iwo-Sima.

Péché mortel

MON PÈRE, je m'accuse d'avoir une fixation orale. Je
n'arrête pas de parler. Je fais aller ma langue à toute
vitesse de peur d'échapper des mots, je ne suis bien que
quand je fais du bruit avec ma bouche. Et tant mieux s'il
y a parfois des mots qui réussissent à passer à travers le
tumulte. Je déteste le silence et pourtant je le supplie de
rester, de m'attendre encore un peu, dans un coin, là-
bas. Tout mon corps est tendu vers un seul but: dire. Je
mange mes mots, je les respire un par un pour leur prendre leurs parfums de laine mouillée, de lavande et de
sueur mêlés. Je les bouscule, les crache, les jette hors de
ma bouche. Je les répudie, les avale, mais il y en a toujours. Plus je parle, plus il y en a. On dirait qu'ils se mul-
tiplient entre eux. C'est ça. Ils copulent dans ma bouche
et font des petits sans arrêt, plus prolifiques que des rats.

Imaginez, mon père: ça copule dans ma bouche,
inlassablement. Un mot en entraîne un autre, puis un
autre, et un autre encore. Parfois même des idées se glissent entre eux. Ils sortent engrossés, énormes, prêts à
copuler avec n'importe qui. En chaleur, ils se jetteraient
sur n'importe quelle mémoire, sur n'importe quelle
bouche dans l'espoir secret d'être répétés, de devenir
une rumeur sourde, sans prendre garde aux microbes.
Ils se foutent des épidémies. Parfois ils arrivent, par la

tête des autres, jusqu'à leur cœur. Ils grouillent sur la peau des autres tant ils sont nombreux et vivaces. Je les vois. Ils s'attendent à la sortie de ma bouche pour mieux faire leurs coups en bande, pour faire davantage de mal ou de plaisir selon leur humeur.

C'est terrible, mon père, je n'arrive pas à les arrêter. Ce sont des flèches d'arbalète, des saumons qui remontent le courant à l'envers pour frayer, des spermatozoïdes à la recherche de l'ovule, prêts à s'entretuer pour venir au monde. Ils vont finir par me bouffer si je me mets à parler seule un jour. Je le sais. Ils ont pondu des œufs en moi en prévision de ce grand moment de triomphe. Ils ont tout prévu, y compris me rendre folle. Ils vont même jusqu'à goûter quelque chose pour mieux m'avoir: certains goûtent les tortellinis Rossini, d'autres l'orange, le rhum brun ou le poivre vert. Ils se rendent aphrodisiaques, ils excitent ma langue. Mes papilles n'en peuvent plus, ma salive déborde. Ils ont tous les pouvoirs, ils savent tout de moi. Ils me font même parler en dormant, les salauds.

C'est la déchéance. Je ne sais pas jusqu'où je serais capable d'aller pour les satisfaire. Je me roule à leurs pieds, j'en redemande. Je les aime à la folie, ils font de moi ce qu'ils veulent. J'ai essayé de porter un bâillon, mais ils ont tenté de m'étouffer en bloquant ma trachée. Ils se sont laissés s'accumuler là, volontairement passifs, sûrs de leur emprise. Si je me coupe la langue, ils sortiront au bout de mes doigts. Je le sais, je les connais. La nuit, ils se métamorphosent en rêves, parce qu'ils ont entendu dire qu'une image vaut mille mots. Ils se souviennent de tout. Mercenaires assoiffés de sens, ils font des blitz dans ma mémoire, la laissent béante et vide. Ils ne me lâchent pas d'une semelle. Je suis à genoux devant eux, je ne peux plus m'en passer. Je dois vous avouer qu'ils me donnent des frissons, les salauds. Des frissons inégalés dans toute l'histoire de mon corps.

C'est là que brisée, défaite, dépossédée jusqu'à la moelle, je n'ai pas d'autre choix que de les écrire pour les faire taire en moi. C'est de l'abjection, mon père. Je ne suis jamais descendue aussi bas pour ne pas mourir. Que dois-je faire?

Croyez-vous que je sois un cas d'exorcisme?

Tu parles dans ton dos

1

TU PARLES DANS TON DOS. Je le vois et je l'entends dans le mouvement imperceptible qui porte chaque mot, qui soulève chaque phrase dans les plis de ton chandail de laine, épais et rouge ce soir-là. Tu vibres et je le vois dans ton dos. C'est un plaisir qui va des épaules au milieu du dos en passant, je crois, par les omoplates. Un plaisir qui creuse, j'en suis sûre, au milieu de ton dos, mais la laine de ton chandail m'empêche de le savoir vraiment. C'est ainsi qu'on pense avoir des fantasmes parce qu'on n'a pas de preuves, à cause de l'épaisseur d'un chandail ou autre chose qui s'installe entre soi et la preuve. Entre le réel et l'imaginé. C'est ainsi qu'on pense avoir rêvé.

Je vois vibrer mon texte dans ton dos et je suis incapable de détacher mon regard de ce texte. Je vois aussi, d'où je suis, de cet endroit précis qui n'appartient qu'à moi ce soir-là, la lumière dans les fils fous qui sortent de tes cheveux bien tirés. Tes cheveux sont rouges et je ne peux pas dire si le halo qui les encercle vient des éclairages ou de toi disant ce texte. Je vois aussi une partie de ton cou jusqu'à l'arrière de l'oreille droite. C'est flou et précis à la fois. Je vois parfaitement la forme de ton oreille. Je vois un bout de corps et de peau et un chandail rouge qui prend toute la place. C'est lui qui se soulève quand tu respires. D'habitude, quand quelqu'un respire, on voit sa poitrine se soulever doucement. Mais là je vois le dos et ça me fait quelque chose de très intime avec toi. D'autant plus que ta voix projette en avant et que je n'en reçois que l'écho. C'est comme si je m'apprêtais à te surprendre. Tu ne sais pas du tout de quelle manière je te regarde et tu ne le sauras jamais, tu seras obligée de me croire sur parole. Personne d'autre que moi ne peut te dire à ma place ce que je vois. Je peux donc mentir. Ou me taire. Est-ce qu'on sait quand on ment? Est-ce qu'on sait quand on se tait?

Je ne veux pas que ce texte s'arrête. C'est ce que je sais. Je veux encore voir bouger ce dos et cette laine comme des petites vagues et je regrette soudain de ne pas avoir écrit un roman. J'ai le réflexe d'approcher ma main pour sentir comment ça bouge en dehors de mes yeux. Je retiens ma main, il y a des gens qui nous écoutent. Je remarque que la vibration se promène, qu'elle descend jusqu'au bas de la jupe et qu'elle remonte. Peut-être à cause de l'ampleur du mouvement des bras sur certains passages du texte. Je suis fascinée. Je n'ai jamais entendu des mots qui viennent de moi à travers un dos. Je vis quelque chose d'inédit, une suite imprévue à ce texte, que je croyais terminé depuis longtemps. Il se continue. Tu l'écris à nouveau et c'est terriblement vivant. Tu le refais. Mon texte est en train de se réécrire par toi, dans ton dos. C'est un luxe qui me convient.

2

Je te vois de profil. Ta voix a quelque chose de plus grave ce soir, de légèrement cassé qu'elle n'avait pas hier. Ta voix est descendue quelque part où les mots étaient avant d'être écrits. Tu dis ce texte sur la même tonalité que moi quand je l'ai écrit. Je ne croyais pas que c'était possible. Ce soir, je remarque le jeu de tes jambes que je ne pouvais pas voir hier à cause de la jupe rouge. Tu ne portes pas vraiment à terre parce que ton *ground* est ailleurs. Ça donne une légèreté à tes jambes, celle des boxeurs quand ils dansent sur le ring. Tes jambes dansent presque sans arrêt. Les genoux plient un peu, la jambe droite s'éloigne légèrement de la gauche et revient et repart. Tu danses. Ton *ground* est ailleurs, mais où? Je vois bien ton dos ce soir, sans ton chandail. J'avais raison. Il se creuse quand certains mots passent. Tu me fais aimer mon texte.

Personne d'autre n'aurait pu écrire ce texte comme je l'ai écrit. Personne d'autre n'aurait pu dire ce texte comme tu le dis. C'est comme ça.

J'AIME LES MOTS.

Ils sont là.

Dictionnaire privé

A

Un *Accident* est une ville de Russie.
À *Aime*, il n'y a pas nécessairement que des amoureux.
L'*Amour* est un fleuve de 4354 kilomètres et un massif
　　montagneux très escarpé. En buriat, il signifie «sale
　　et boueux»; en chinois, «le fleuve du dragon noir».
L'*Aube* est une rivière.

B

Un *Bâton-Rouge* n'est pas une baguette magique.
Beauvoir-sur-mer est un port.
Bénin, c'est le nom d'un pays et ce n'est pas grave.
Le *Bouclier canadien* ne protège pas le Canada.

C

Cage est un compositeur libre.
Camus est un nez.
Cologne est un parfum avec des rues.
La Condition humaine est un livre qu'on feuillette.

Condom est une ville sur la Baïse.
La *Conscience* est un écrivain.
La *Constance* est un lac paisible.

D

Délicieux était un ennemi de l'Inquisition.
Le *Don* est un fleuve.

E

Embrun est une station climatique.

F

Un *Fanon* est un psychiatre pour les baleines.
La *Félicité* est une esclave et martyre qui fut livrée aux
    bêtes.
Février compose des musiques de chambre.
Fini est une peintre éternelle.

G

Gela est une ville chaude.
Glissant est un poète philosophe.
Un *Gourou* est un géographe humain.
Gris peint en couleurs.
Gros est un peintre, fils d'un miniaturiste. Il se suicide.

H

Hélène est une tragédie grecque.
Les *Heures* sont trois filles divines.
L'Humanité est un journal quotidien.
Hume est un philosophe qui ne sent pas bien les femmes.

I

Les *Innocents* sont des papes.
L'Iris est une fleur qui voit tout et qui envoie des messages aux dieux.

J

Don Jaime est un prince de Madrid. Dommage. C'est un joli nom.
La *Java* est une île qui danse sur un volcan.
Joyeuse est un lieu sur la Baume.

L

Lastic est un grand grand grand maître.
Le Pen est une prison du Québec.
Lie est un poète norvégien qui, le premier, considère les forces psychiques obscures dans l'homme.
La *Loyauté* est un archipel.

M

La *Main* est un fleuve qui salue le beau Danube, autrefois bleu.

Un *Mâle* est un historien et un professeur d'art chrétien.

Un *Mari* est une ancienne cité.

Une *Métastase* est un dramaturge.

La *Mort* est une vallée désertique, un fossé d'effondrement s'enfonçant au-dessous du niveau de la mer, d'une aridité quasi totale.

N

Natal, c'est le nom d'un pays, même quand on n'y est pas né.

Les *Neiges* sont un ancien volcan.

Le *Nil*, ce n'est pas rien.

Nice est belle pour des Anglais.

Nu est un fervent bouddhiste.

O

Une *Orange* est une ville habitée.

P

Un *Paria* est une péninsule faite d'une arête étirée.

La *Peine* est une ville d'Allemagne.

Petipa est danseur et chorégraphe.

Peur n'est pas dans les noms propres et ne veut dire qu'une seule chose. Mais ça peut être plusieurs choses. Ça peut être une ville ou un homme quand on est une femme; ça peut être une femme quand on est un enfant; ça peut être une arme quand on est un homme; ça peut être un amour quand on a été un enfant oublié; ça peut être un régime quand on est Haïtien; ça peut être une faille quand on est Californien; ça peut être la mort quand on est une vie. Ça peut être toutes sortes de choses.

La *Prudence* a composé douze hymnes sur les heures de chaque jour.

Q

Le *Québec* est un beau sapin.

R

Racine est un orphelin.

Ravi est un fleuve dont les eaux captées servent à l'irrigation.

Ré est une note dans l'Atlantique.

La *Renommée* est un monstre ailé à cent yeux, cent oreilles et cent bouches qui surprend les secrets coupables.

La *Réunion* est une île au climat tropical.

Un *Rictus* est un poète des souffrances et des espoirs des déshérités.

S

Sado est un lieu d'exil.

Un *Sauveur* crée l'acoustique musicale. Il est le premier à étudier les limites de l'audition de l'oreille humaine.

Un *Sein* est une île habitée à la pointe.

Un *Sens* est un hôtel qui abrite des intrigues galantes.

Le Siècle est un quotidien politique.

La *Société* est un archipel d'îles très peuplées formées de volcans éteints profondément disséqués par l'érosion.

La *Souterraine* est une ville dans la Creuse et dans la haute Marche.

Le *Sublime* est une porte.

T

Tarde est un sociologue.

Le Temps est un quotidien.

Une *Tortue* est une toute petite île.

U

Under est une poétesse estonienne.

L'Union est à la fois un Acte et un Arrêt.

V

Valentin est un saint martyr confondu depuis le XVe siècle avec la fête des amoureux.

Une *Vieille* découvrit le processus de l'onde explosive.

Vivre n'est pas dans les noms propres.

Portrait avec frissons

Eᴌᴌᴇ ᴠɪᴇɴᴛ ᴅ'ᴀᴠʀɪʟ. Elle en garde le frisson sur le dessus des mains et derrière l'échine, comme celui qui passe sur l'eau quand le soleil s'y naufrage, les soirs d'été. Un frisson sur l'écume. Elle vient d'un avril fragile, hésitant, malhabile à refuser la vie à l'hiver pour faire naître l'été lent.

Elle est toute en cellophane. Elle se retient toujours de partir au vent et doit se tenir loin des porcs-épics, des cactus, des ongles pointus, de tout ce qui possède le vice de l'épine sans la fleur. Éviter les déchirures. Il aurait fallu qu'on lui donne ce pouvoir. Elle se défend comme elle peut, mais le mieux qu'elle puisse faire, c'est d'être en porcelaine. Sa tête est une tanière remplie de lièvres peureux. Il en sort un parfois, rapidement, dans un coup d'œil, avec un peu d'eau. La plupart du temps ils ne bougent pas, tapis sous la paupière. C'est à cause de la cellophane.

Elle a des lignes qui se dessinent toutes seules au bord des yeux et de la bouche. Elle les épie, leur tend des pièges et les brise du doigt. Mais les intruses reviennent à la première distraction, triomphantes. Elle est belle comme une fleur qui s'entête à pousser dans les plus infimes fissures de l'asphalte. Elle prend son espace. Elle cause parfois des problèmes d'oxygène.

Elle ne sait pas l'anglais et ne sait pas prononcer Dostoïevski sans trébucher.

C'est mon amie.

La vérité

J'AI VÉCU une chose bien étrange aujourd'hui. Pendant que je faisais sécher mes fenêtres sur la corde à linge, comme tous les lundis, deux nuages et une lune sont entrés chez moi. J'ai photographié le phénomène avec ma mémoire, mais tout le monde pense que c'est un habile trucage parce que je n'ai pas de négatif.

La vérité, pourtant véritable, vraie, évidente et claire comme de l'eau de roche, aura-t-elle toujours besoin d'épreuves?

Portrait avec mystères

Elle est entrée dans ma vie en même temps que dans mon bureau. Elle ne savait pas, et moi non plus, que c'était exactement la bonne place et la bonne heure. Il était tellement temps qu'elle a devancé de vingt-quatre heures notre rendez-vous d'affaires. On pourra croire que c'est une erreur. Moi j'ai vécu ça comme un jour de plus à la connaître, un bonus. Ça peut avoir de l'importance, plus tard, quand nous serons à court de temps.

Du dedans au dehors, elle est une suite de transformations subtiles difficiles à fixer. Elle n'aime pas être photographiée. Elle doit avoir les yeux gris, mais je ne pourrais pas le jurer. Parfois, il y a du vert dedans. Je vois du vert dedans, juste assez pour me sentir daltonienne.

Elle a de beaux gestes, une nonchalance qui donne le goût de s'y installer comme dans un transatlantique, quand il fait chaud, les deux pieds dans le sable. Mais ses gestes ne prennent pas souvent de risques. Ils tournent autour d'elle comme des satellites sous l'emprise de la gravité. Ils ne touchent pas. Ils ne dépassent presque jamais le périmètre de sécurité qu'elle a installé autour de son corps comme une deuxième peau. Ses mains, ce sont ses yeux. Elle n'a pas peur de toucher avec ses yeux. Personnellement, je trouve moins dangereux d'utiliser une main. Chacune sa définition de la décence.

À cause de ça, on la dit lointaine. Pour dire qu'elle est lointaine, il faut la vouloir proche il me semble. C'est vrai qu'elle est tendre à l'effarouche. C'est peut-être de cette sorte de tendresse que vient la rumeur. Quand elle s'approche trop près de quelqu'un, elle se croit obligée de reculer de dix kilomètres par la suite. C'est fatigant de la voir se promener ainsi. Elle doit être épuisée.

Lointaine.

Si elle était lointaine, elle n'aurait pas ce sourire magnifique qui vient se loger dans sa pâleur comme un éclat furtif. Son sourire vient et va, arrive en trombe ou file à l'anglaise, on ne sait jamais, mais il ne part jamais complètement. Il laisse des preuves en forme de rides au bord des yeux. Quelqu'un de lointain ne porte pas ce genre de marques. Tenez. Je l'ai déjà vue, un dimanche matin, lente, tellement lente, empêtrée dans sa grippe, avec ses vieilles savates portugaises et traîneuses, ses gros bas de laine ravalés par-dessus, sa jaquette de flanelle fripée trop courte et son gros gilet de laine beige trop grand. Ce n'est certainement pas une fille lointaine qui s'habillerait comme ça.

Je ne sais pas si je vais terminer son portrait. C'est une haute-parleuse très puissante, elle a tendance à tout amplifier. Une fois, j'ai essayé de lui expliquer en détail sa sorte de beauté et je ne l'ai pas vue pendant deux semaines. Je marche sur des œufs. Je dis vrai, mais j'atténue. Je brosse ici, j'estompe là. Je suis à deux doigts de réinventer l'impressionnisme. Je calme le fauve. Je lui dois une mutation. Inutile de le cacher, ça se voit. Mais elle ne peut pas savoir comment j'étais avant elle. Il faut que je lui dise que je lui dois une de mes naissances.

Je suis allée trop loin. Il ne me reste plus qu'à attendre la fuite. C'est obligé qu'elle fuie, elle est comme ça. Et si elle ne fuit pas, elle ne me croira pas. Ça l'arrange. Je trouverai bien le moyen d'aller la rechercher, j'en ai déjà toute une collection, de moyens.

J'oubliais. Si vous la rencontrez, qu'elle vous plaît, que vous voulez devenir son amie, mais que vous ne savez pas comment lui dire parce qu'elle vous semble lointaine, ne vous inquiétez pas. Passez outre et n'attendez surtout pas sa permission pour l'aimer. Elle ne vous en voudra pas très longtemps.

L'avortée

JE ME RETROUVAI atrophiée, démesurément gonflée de l'intérieur, mes yeux ayant tout envahi. Par ces deux plaies béantes je n'étais plus qu'un regard unique, n'ayant d'autres possibilités que de fermer les paupières ou de les entrouvrir, au choix. La plupart du temps, elles étaient entrouvertes, deux puits sans fond où le monde basculait en jouant de l'épine...
....
....
....
.... La neige avait perdu ses alibis d'hiver et s'était retrouvée à contretemps sous ce premier soleil d'avril. Je suis tombée de la dernière neige d'avril. Elle avait besoin qu'on la justifie. Ça m'est égal de servir de justification à la neige. Ses flocons m'avaient peu à peu entraînée à leur suite dans l'arabesque chaud de l'ensevelissement. J'étais perce-neige, et j'appris la couleur de la neige, sa substance, sa chaleur, sa magie, son arôme. Je ne pouvais plus m'en passer. La neige est le lot de tout avorton, les limbes dont on nous parlait à l'école, cet espace ouateux comme du Fleecy. Il y avait là l'écho ténu des sons qui se transmettent dans les fonds abyssaux. C'est ainsi que l'information arrive de l'extérieur, se change en flocon, se cristallise et repose, les dents ser-

rées, jusqu'au premier cri ....
....
....
.... J'étais donc
devenue un regard; un œil total, globuleux, où les facet-
tes cycloramiques de la mouche me permettaient d'être
autour et à la fois dedans. De la mouche je n'avais pas
les ventouses: dommage, elles auraient pu me servir.
J'étais ventouse cependant, sans m'en douter, comme
seul un œil peut l'être quand il se colle à une fenêtre, à
toutes les fenêtres, en chair ou en papier, en vitre, avec
ou sans givre, avec ou sans lune.................................... .
....
.... C'est l'hiver
que les yeux se crèvent le mieux, quand les fenêtres se
hérissent et deviennent des orties travesties en aiguilles:
le ghetto blanc de la neige endurcie. Un anneau de chair
vive m'enserrait déjà l'œil. Il ne suffisait que d'une
mince couche de vitriol sur un carreau, et la ventouse se
mit à hurler...
....
....
....
....
... . Je n'ouvris pas
les yeux, la bouche toujours ouverte, tordue sous le viol
du cri. J'enfilai ma camisole de force pour être à la
mesure de l'impossible. C'étaient de grandes œillères de
cuir brut. Elles m'étaient ajustées. Personne d'autre que
moi n'aurait pu les enfiler avec cette facilité du geste.
Elles m'étaient dues. La peau de la bête avait dû être si
épaisse que même l'œuvre du vent et de l'eau de pluie,
souvent corrosive, ne semblait pas les avoir abîmées.
Mes œillères me couvraient entièrement, parallèlement,
deux trottoirs encadrant l'avenue. Pas un fil de regard
ne pouvait traverser. Je ne pouvais plus bouger. Il ne fal-

lait plus bouger. Les lanières averties m'auraient lacérée sans pitié. Je pouvais ainsi me calmer, m'enfouir le cœur au chaud, le comprimer, l'empêcher de battre des rythmes sud-américains ....

....

....

....

.... Le grand creux de femme d'où je suis venue s'étant refermé, il a fallu me faire sécher, puisque j'avais encore sur moi l'aspect gluant que prend la vie dans sa forme première ....

....

....

....

.....................(La première goutte qui tombe, surprend.
.....................La seconde glisse sur la face et toutes les
.....................autres ensuite qui tombent, creusent
.....................l'éponge, comme toutes les pluies expéri-
.....................mentées.)...

....

....

....

....Ensuite, j'ai séché pendant longtemps, un peu comme les vers sur les trottoirs en absence de pluie, en forme de point d'interrogation. Les vers ne sèchent que pour mieux craquer sous le pied du passant. Et le pied du passant apprend le geste de répulsion calculé, celui qui tente d'éviter le piège contenu dans le cadavre du ver ....

....

....

....

.... Voilà qu'il me faut faire des bulles maintenant .... de grandes bulles transparentes qui s'arrondissent autour de ma bouche et contiennent mes monologues ....

........................Voilà qu'il me faut les orchestrer............. lire les bulles des autres .... et faire attention à tout ce qui peut les éventrer et en faire couler le sens .... Mais il y a tellement de hérissons .... Déjà que les yeux s'en arrachent à peine ....(Soupir.) ....

....

....

....

....

....

.... J'ai vu mon père nu pour la première fois quand j'ai lu le rapport de son autopsie.

Avez-vous vu mon enfance quelque part?

Autoportrait de clown

ON CROIT qu'un clown sait tout. C'est faux. Il se déguise et parle très fort pour être certain d'être bien vu afin que quelqu'un, n'importe qui, lui montre le chemin qu'il ne trouve jamais. Ou encore il prend de lui-même un chemin, mais ce n'est jamais le bon chemin. Sa tête est une linotte. Il faut toujours quelqu'un pour le ramener in extremis avant qu'il ne tombe dans le ravin. Un clown ne sait rien. C'est terrifiant. Il a besoin d'une armée de personnes qui savent quoi faire autour de lui pour ne pas mourir.

On croit qu'un clown est un sage qui sait rire. C'est faux. Il ne sait rien. Il se met la tête dans un seau pour boire comme un animal et il reçoit une trombe d'eau sur son cul rebondi, du plafond ou de la main d'un autre clown caché. Il se demandera toujours pourquoi il ne peut jamais boire tranquille si personne ne lui dit le truc. Un clown se promène toute sa vie avec une tarte à la crème dans son plastron en surveillant les amateurs de sucreries à qui la donner, mais la tarte se retourne toujours contre lui. En plus, ce n'est même pas une vraie tarte, c'est de la crème à barbe. Il se dit, sans savoir jamais ce qu'il dit, il répète: «Tel est pris qui croyait prendre». Et il recommence.

On croit qu'un clown fait des choses drôles. C'est faux. Il refait les mêmes choses, il pile dans les mêmes pilasses laissées par ses gros pieds de clown, comme la langue dans la bouche dans le «Gloire soit au Père» ou le «Je vous salue Marie». La bouche sait, le clown ne sait pas. Il est loin de sa bouche. Elle est toujours pleine de mots pour faire rire les autres que lui. Il n'a pas de place. Sa bouche l'envoie à la chasse aux mots comiques. Un clown cherche beaucoup, mais ne trouve rien. Il ne ramène jamais rien de sa chasse, sa bouche l'engueule et c'est ça qui fait rire. C'est un vrai sans-abri. Un vrai de vrai. Il se fait cracher dessus par sa grosse bouche rouge qui lui a déjà mangé tout le visage et il n'a qu'un parapluie ridicule dont il ne reste que quelques baleines, à peine de quoi le protéger. Quand il se fait mouiller par les crachats, il croit que ce sont les baleines qui lui ont soufflé de l'eau par leurs évents. Un clown ne sait même pas qu'un vrai parapluie doit être fait d'une bonne toile solide, de couleur vive, pour mimer le soleil. Un clown ne sait rien.

❏

C'est dramatique. Dès sa naissance, elle a épousé étroitement un clown de carrière et maintenant elle doit s'en occuper pour le reste de sa vie. Sans le dire à personne, parce qu'elle sait cacher, elle a hâte qu'il meure. Il lui prend tout son temps, comme un enfant, alors que justement elle n'a pas voulu faire d'enfant. Elle n'a pas assez de tout son temps pour comprendre. Elle n'aurait pas su expliquer à des plus petits comment la vie fonctionne. Parfois elle se dit qu'elle aurait quand même dû faire un enfant. Elle aurait pu se sauver avec lui loin du clown. Mais elle avait craint la difformité dans le croisement avec le clown. Elle est tenue captive.

Pour gagner son salut – après tout, nous sommes tous là pour ça – elle a ouvert une agence de spectacles pour faire travailler son clown et le tenir loin de la maison. Elle paye quelqu'un pour l'accompagner et elle fait beaucoup d'argent, parce que les gens qui ne vivent pas avec les clowns les adorent. Quand il est en tournée, elle dort de toutes ses forces. Mais quand elle se réveille un peu, elle a juste le temps de se dire que, sans lui, elle est morte. Parfois, elle arrive à se rendormir. Autrement, elle prend un cachet et elle attend qu'il revienne.

Portrait avec médisances

IL PARAÎT QUE SA MÈRE portait des bagues tellement grosses qu'on ne lui a jamais vu le visage. Le croiriez-vous? Elle a de qui tenir. Elle se cache elle aussi. Je ne veux pas être mauvaise langue, mais elle fait de la cellulite jusque sur le front. Oui oui. Percluse on dit. Percluse de cellulite. Dramatique, non? On ne lui a pas vu froncer les sourcils depuis au moins deux ans. Comment voulez-vous qu'on sache ce qu'elle pense? Impossible. Impassible. Si jeune...
(silence.)

Si au moins elle portait une frange, ça se verrait moins. Son mari l'a quittée d'ailleurs. Le pauvre... Il n'a pas eu de mal à trouver mieux ailleurs. Comment voulez-vous vivre avec une femme dissimulée à la journée longue? Impensable. Elle ne sait même pas glousser. Que voulez-vous qu'un homme fasse avec une femme qui ne sait pas glousser? Je vous le demande. Que voulez-vous que je vous dise, il était complètement dérouté. A-t-on idée de ne pas savoir minauder, à son âge?
(silence.)

C'est une bohême, une Roger Bontemps, comme disait ma propre mère. Son père l'a traînée partout avec lui jusqu'à au moins quatorze ans. Elle avait des seins qu'il la traînait encore. À la chasse, à la pêche, dans les

quincailleries. Oui oui, comme je vous dis, dans les *quin-cailleries*. Je m'en souviens très bien. D'ailleurs, il paraît qu'elle a des *tendances*. Vous voyez ce que je veux dire? À traîner comme ça dans les quincailleries... On se demande ce qui lui a pris de se marier. Pour sauver la face je suppose. Je comprends qu'elle n'ait pas eu d'enfant. Tout ça c'est une question d'hormones. Ils l'ont dit l'autre jour à la radio: les hormones femelles provoquent l'attirance pour les robes et les cosmétiques, et les hormones mâles, pour les pantalons et les quincailleries. Ça se tient tout ça. L'avez-vous déjà vue avec une robe sur le dos? Même à son mariage elle était en pantalons, *noirs* par-dessus le marché. Ceux qui avaient à comprendre ont compris à ce moment-là. Moi, il y avait longtemps que je le disais...
(silence.)

On n'a pas idée d'être comme elle est. C'est une hystérique du dernier stade. Avez-vous entendu son rire? Une avalanche avec de l'écho, du tonnerre et des ultra-sons. Oui oui, des ultra-sons. Puisque je vous le dis... Il paraît que depuis la dernière fois qu'elle y a ri, on n'a plus revu de clients dans le restaurant en face de chez elle. Ils ont été obligés de fermer. C'est honteux. Des oiseaux ont été pulvérisés en plein vol par son rire. Certainement. Il y a eu des témoins...
(silence.)

Pour moi, elle a le mauvais œil. Avez-vous vu son œil? L'avez-vous vu? Une arme redoutable. Et elle s'en sert sans permis de port. Elle s'affiche. C'est scandaleux. On devrait interdire de porter certaines sortes de regards. Moi, je serais radicale. On interdit bien les jeans dans les discothèques ou on oblige les cravates dans certains restaurants. Qu'on oblige ou qu'on interdise, il y a toujours quelque chose d'interdit, non? Bon. Voilà. C'est simple pourtant. Tout irait tellement mieux dans le monde. Elle nous vrille avec ses yeux. Quelle sensation désagréable de se sentir vrillé. Je déteste ça, vraiment. Après, on dirait qu'on ne sait plus comment agir. Quand je vais au magasin où elle travaille, j'évite toujours son comptoir. Mais si par malheur elle me regarde, je ne sais même plus ce que j'étais venue y chercher. Elle me donne de l'amnésie. J'y pense et j'en ai froid dans le dos. (silence.)

Elle pose trop de questions. D'accord, elle ne parle jamais. Mais ça ne l'empêche pas de poser trop de questions. Ça n'est pas incompatible. Je connais des gens qui n'arrêtent jamais de jacasser et qui ne posent jamais la moindre question. Alors... Le contraire peut être vrai. (silence.)

Non, mais regardez-la. On dirait encore qu'elle est plus vivante que tout le monde ici. Il faut toujours qu'elle se distingue. Heureusement qu'on a réussi à lui fermer les yeux une fois pour toutes. C'est-à-dire que, quand on l'a retrouvée, elle se les était déjà fermés elle-même. Elle n'a besoin de personne. Elle n'a jamais eu besoin de personne. Elle est tellement réfractaire et coriace à tout. (silence.)

Croyez-vous que les vers, eux, en viendront à bout?

Ma planète

MA PLANÈTE est une pomme. J'en mange les parois quand j'ai envie d'un fruit. Mes bouchées forment des tunnels, et les tunnels, des labyrinthes qui émergent en fenêtres ouvertes. Quand ma pomme a trop de fenêtres, je déménage.

À bien y penser, je suis peut-être un ver...

La pomme

JE SUIS TOMBÉE du haut d'une pomme. Elle avait la rondeur d'un dos de chat griffes sorties, d'une joue à la pommette haute. Je suis tombée du haut d'une pomme et je me suis brisé les os autour du cœur.

J'y étais montée pour voir dedans. Elle était belle. Ses deux moitiés étaient des touts. Elle m'emplissait la vue de sa peau en miroir. J'avais toujours envie de croquer dedans. Quand je m'approchais, vorace, je m'y voyais si exactement que c'était moi que je m'apprêtais à croquer. Je rentrais mon envie.

Je passais beaucoup de temps à la polir. Le matin, enflée de sommeil, elle avait la forme paresseuse. Mais elle avait tant de couleurs en réserve qu'elle s'en couvrait aussitôt pour effacer la nuit lécheuse.

Elle était imprévisible.

Le matin de mon accident, elle se prenait pour le soleil. Elle luisait plus que de coutume. C'était un matin où le soleil d'avant l'aurore est une main sinueuse qui tasse le sommeil doucement pour installer le frisson.

(Comme s'il fallait toujours rester ainsi, le sommeil en allé mais les paupières closes, à frissonner du jeu de la main qui caresse.

Ne pas s'en apercevoir. Laisser le frisson prendre toute la place que le sommeil prenait l'instant d'avant. Ne rien dire. Écouter le souffle. Ouvrir les yeux. Tourner la tête et manger de l'œil ce visage si près. Prendre ce visage dans ses mains et tomber, tomber...)

Elle connaissait toutes mes faiblesses.

Je suis montée lentement, en prenant garde de ne pas l'érafler, jusqu'à son cou de volcan. Je me suis penchée pour regarder dedans puis, plus rien. Je me suis retrouvée tout au fond, rompue. Si je la ronge de l'intérieur, pour me nourrir et creuser un tunnel, elle meurt. Si je ne la ronge pas, j'étouffe et je meurs de faim. Inutile de crier, personne ne m'entendrait.

C'est elle ou moi.

Faut-il être bête pour se buter ainsi à des choix aussi déchirants.

Faut-il être bête.

ENTRE TA PEAU et la mienne,
Je choisis les deux.

Portrait avec vilebrequin

Depuis sa naissance, elle n'avait jamais eu le tourbillon aussi fatigué. Peut-être un léger étourdissement, vu le mouvement emporté et circulaire du tourbillon. Toujours est-il qu'elle en avait baragouiné des mots. Toujours est-il que ses phrases perdaient parfois l'équilibre et qu'elle mettait des heures et des centaines de mots à en retrouver le fil constructeur. Jongler est un art difficile. Surtout que c'est facile de lui faire perdre pied et de savoir, noir sur blanc, que c'est une douce qui s'est fabriqué une cachette dans une tornade. Élémentaire. La ficelle est grosse comme un cordage. Des tas de prestidigitateurs sont capables de faire beaucoup mieux qu'elle: par exemple, faire disparaître l'Empire State Building dans un sou noir, ou vider le Pacifique, sans en oublier une seule goutte, dans un dé à coudre. Exagération? Non. Puissance de l'illusion. Réalité. Une question d'adresse et de bonne digestion.

Elle est maladroite. D'ailleurs, elle n'a jamais voulu devenir illusionniste, ça crève les yeux. Sinon elle ne serait pas devenue un tourbillon-vilebrequin qui perce les écorces et déconnecte les circuits. Première règle: pour devenir une saboteuse de certitudes, il faut en avoir très peu soi-même. Deuxième règle: il faut savoir reconnaître un robot d'un humain. Et de là, apprendre à remplacer subtilement tous les programmes par de la chair. Ces deux règles sont absolument nécessaires à tout rachat de liberté, c'est écrit en toutes lettres dans le contrat qu'elle vient de signer entre elle et elle-même. C'est un des contrats les plus fabuleux jamais signés dans son monde entier. Exagération? Non. Puissance de la réalité. Illusion. Une question d'adresse et de haute diplomatie.

Quand je vous aurai dit qu'elle n'a qu'une oreille, mais que c'est la troisième et la bonne, vous croirez qu'elle sort d'une peinture abstraite. Pas du tout. Elle flirte plutôt avec Renoir en ce moment. Elle a un beau corps qu'elle a décidé d'effacer pour un temps sous des rondeurs suspectes: elle n'aimait pas qu'on la regarde.

Quand elle était plus jeune, du temps qu'elle était *bum*, elle savait courir comme un cheval à cause des jambes de son grand-père, son seul héritage. Elle en a gardé la fougue et l'envie de ruer dans les brancards. Et grâce au ciel, il ne s'annonce aucune pénurie de brancards.

C'est une grande collectionneuse de pieds dans les plats – toutes les grandeurs de pieds et de plats –, une oublieuse, une chanteuse qui a raison de s'ignorer, une bombe qui renonce à être une bombe plutôt que de tuer une mouche. Une extravagante.

N'y touchez pas. J'y tiens.

Histoire d'amour

LA MER A LES BLEUS. Le ciel aussi. Après une rencontre au sommet de l'horizon, elle et il ont décidé de s'échanger des teintes, entre voisins, pour tromper les peintres du dimanche et ceux du reste de la semaine aussi. Faut dire la vérité: elle et il s'ennuyaient d'être si majestueux. La mer voulait être un poisson rouge et nager dans un bocal; le ciel voulait être un oiseau et dormir dans un tout petit nid, tous les deux sous la nageoire ou l'aile d'une mère chaude.

Elle et il se sont mariés obligés, accotés qu'ils étaient depuis des millénaires. Un indiscret a osé en faire une chanson.

Il n'y a plus d'intimité.

Portrait avec fleuve

ELLE PORTE UN NOM d'oiseau dont elle a gardé la huppe, qu'elle peigne avec ses mains pour se donner un mouvement d'ailes. À cause de sa généalogie, elle migre partout où il y a un pays. Elle circule en fleuve qui ne cherche que la mer. Aussi, beaucoup de gens qui ne l'aperçoivent qu'en passant pensent que c'est une femme du dehors. Elle a toujours l'air de flotter sur un courant invisible qui la porte. Son embouchure est enfouie au fond d'une ruelle, dans une ville encerclée par un fleuve. Ce n'est pas un hasard de naissance. Femme ou fleuve, elle est une affluente.

Entre deux départs, elle fait les trottoirs. C'est une femme itinérante. Tête en l'air, elle lit les murs d'une affiche à l'autre. Au passage, elle lit la vie des gens dans les poubelles, la vie que les gens jettent, la lie de la vie des gens. Elle aime la littérature. Il lui arrive de rapporter chez elle des chapitres de ces vies trouvées, panier ou assiette. Elle trouve de tout dans la vie des gens. Ensuite, elle monte de gros bateaux qui mouillent un moment dans sa vie avant de prendre le large. Elle leur sert de quai. Elle déverse des containers de métaphores sur la ville avant de repartir en quête de nouvelles images. Elle fabule et affabule. Aussi, beaucoup de gens qui ne l'aperçoivent qu'en passant ne savent pas qu'elle est une femme du dedans. Elle passe si vite. Si on prend rendez-vous avec sa valise, on est sûr qu'elle viendra. Elles ne se quittent pas.

Elle est une antiquaire qui déteste les vases clos. Elle vit demain mais elle est partie hier, elle parle aujourd'hui mais elle se tait tout le temps. Sa notion de temps lui vient directement d'Einstein sans passer par la science, dans une sorte de legs occulte qui doit venir du fait qu'elle est principalement en décalage dans sa vie. Sa maison est un avion qui n'arrête pas de décoller. Quand il atterrit, elle est contente, parce que ses oreilles vont se remplir de langues étrangères qui changeront ses neurones en corolles ouvertes.

C'est sa manière à elle de recueillir la pluie pour sa soif.

Le bon moment

LE FROID ÉTAIT TOMBÉ de nulle part avec la pluie. Le reste du temps, je ne me suis pas sentie protégée. Il a suffi de peu de choses: un bras arrondi autour de mon cou au bon moment, un parapluie fermé ouvert au bon moment, un veston déposé sur mes épaules au bon moment. Un veston à carreaux, rouges cette année-là. Il n'y a pas eu tant de gestes. Quelques-uns ont suffi, au bon moment. Je ne t'avais rien demandé.

Ce jour-là, je n'ai pas été seule.

Le reste du temps, je ne me suis pas sentie protégée. Je me suis arrangée comme j'ai pu, je n'ai pas l'habitude des parapluies. À aucun moment de ma vie je n'ai demandé de protection. Tu ne pouvais rien m'offrir d'autre. Le reste du temps, je te le jure, je ne me suis pas sentie protégée. Comment te faire comprendre. Je n'avais pas peur de toi. Et c'est toi que je n'ai pas aimé. Le reste du temps, je ne dis pas des choses comme ça.

Depuis vingt ans, je viens de m'en rendre compte.

Le reste du temps, je me demande à quoi j'ai pensé.

Portrait avec chat

C'EST UN CHAT avec une tête de fille. Nul ne sait où et quand l'erreur s'est produite. Elle était faite pour être chat. Surtout le matin, quand elle n'a pas encore eu le temps de se souvenir qu'elle est une fille, elle entrouvre des yeux étonnés à travers les cils, elle arrondit le dos, s'étire, ouvre et rentre les griffes, l'oreille sorteuse entre les cheveux. C'est sa seule indécence.

Elle met beaucoup de temps à redevenir une fille; une fille avec des manières de chat qui se frôle et ronronne, se colle et racole, montre les dents, devient cactus et griffe. Elle a davantage peur qu'elle ne fait peur, à son grand désarroi. Elle est farouche. On passe son temps à l'apprivoiser, c'est épuisant. Elle en fait voir de toutes les couleurs, c'est pour ça que ses yeux ont des iris de rechange.

C'est difficile de savoir où et quand elle se mue en fille. On n'a jamais pu surprendre la transformation, elle se déshabille en secret. Certaines personnes disent qu'elle est prude.

Comme un chat, elle ne comprend que ce qu'elle veut et n'en fait qu'à sa tête. Comme une fille, elle peut facilement transformer ses yeux en lacs qui noient son visage à marée haute. Comme si les lacs avaient des marées...

Comme un chat, elle a le souffle court et le cœur trop pressé de battre. Mais fille ou chat, il faut la flatter de temps en temps. C'est le seul geste que les deux supportent ensemble. Un no man's and cat's land.

Selon moi, elle est réversible: doublée en peau de chat à l'intérieur, et en peau de fille véritable à l'extérieur. C'est un chat rentré.

J'aime les chats.

Une princesse d'Espagne

ELLE NE SAIT PAS FLEURIR, alors elle jalouse les plantes. Elle ne sait pas parler, alors elle s'invente un vocabulaire de toutes pièces pour se venger. Ce qu'elle sait faire le mieux, je crois, c'est de traquer la chaleur pour m'en donner ensuite, tout en ayant l'air de m'en prendre. Elle est fière. Il ne faut jamais lui souligner qu'elle est indispensable.

C'est une petite personne aux yeux bridés vert émeraude qui collectionne les odeurs et les porte comme des bijoux. Qu'elle sente le soleil, le sommeil, mon parfum ou l'odeur de l'hiver sous zéro, elle se pavane en semant derrière elle quelques perles de senteur que je ramasse humblement en la prenant dans mes bras. Je ne sais pas vraiment ce qu'elle sait ou ce qu'elle sent, mais je crois qu'elle n'est bien, en ce monde, que dans mes bras. Elle sait que j'ai viscéralement besoin de me sentir utile, moi pauvre humaine indigente qui se bat contre sa vie, pourtant sa seule vraie complice. Ma princesse me trouve étrange parce qu'elle ne se bat contre rien. Elle se contente de vivre et de faire alliance avec son plaisir, toujours exactement au centre de chaque seconde qui passe pour en éviter la brûlure. J'essaie désespérément de faire comme elle, Praline, une chatte d'Espagne venue expressément sur terre pour me guérir.

Ce matin-là

TU T'ES PRISE dans mes bras de la même façon qu'un petit singe, enchevêtrée dans tes lianes. Elles avaient dû pousser durant ta nuit. Je ne les avais jamais vues si nombreuses, si évidentes.

Tu te consumes dans l'eau, avec l'eau et tu rétrécis, tu rétrécis. Tu t'agrippes, tu casses en deux, en cent, en mille fragments que j'essaie de rattraper, de garder ensemble. Un petit tas de sanglots désanglés, c'est ce que tu es ce matin-là.

Je n'y arrive pas. Ça déborde et ça me prend en douceur. C'est violent et c'est doux. S'il y avait eu du ressac quelque part dans cette douceur, je l'aurais senti. Tu me prends. Je te prends et ça me déborde. C'est humide sous tes cheveux quand j'y glisse mes doigts écartés pour saisir ce qui doit être ta tête. Je ne sais pas au juste ce que je tiens. Mes doigts sont partout mais ils n'y arrivent pas. Ils ne sont pas assez nombreux pour te tenir ensemble. Et cette tête qui penche, qui penche, qui ballotte, désaxée, qui bascule à travers moi. J'essaie de saisir tes yeux à travers la cohue, de fixer ton visage qui renverse, de repousser ta chevelure épaisse qui m'encombre. Je n'entends pas ce que tu dis. Je n'entends pas la phrase que tu répètes à mon épaule.

Ta tête est lourde, lourde, ta tête est molle. J'ai peur tout à coup qu'elle se détache de toi dans ton vertige. J'ai peur qu'elle roule, elle roule déjà sous mes doigts. Je la tiens pourtant, elle m'échappe. Mes doigts dans tes cheveux encore. J'essaie d'endiguer. Tu pleures tant. Je dois laisser des traces sur ton visage en essayant d'effacer le torrent. Je remarque au passage que ta peau est douce. Je l'oublie aussitôt. Je remarque au passage que la peau de ton visage est malléable. Ça doit être pour ça que tu as tous les âges en même temps. Mais je n'ai pas le temps de m'y attarder. Il ne faut pas que je nous laisse couler à pic. Il ne faut pas que je me laisse emporter par cette vague qui te soulève. Je suis là. Je tiens. Je tiens bon.

– Je ne veux pas que tu t'en ailles.

C'est ça que tu me cries, j'entends. Ton corps est chaud. Il est mou. Ton corps est humide. Cette humidité a quelque chose à voir avec la peur. Tu as dû avoir très peur. J'ai retrouvé un jour ma petite chatte écrasée au milieu de la rue, le poil hérissé, trempée, morte. Il y a une sorte d'humidité reliée à la peur.

J'ai chaud. J'ai peur. Tu es chaude et humide. J'aime ça et je suis affolée. Je suis deux. Désir de caresser, désir de bercer. Mes sens ouverts, tu traverses. Je ne sais que répéter ton prénom. Je ne sais rien faire. Je suis bancale et je trébuche. C'est la première fois que quelqu'un me crie qu'elle a peur de me perdre. Je ne sais pas quoi faire, je ne me reconnais pas.

Ce matin-là, les fenêtres n'avaient pas encore soulevé leurs paupières. Nous étions dessous.

Portrait avec pluriel

ELLE PENSE qu'elle aurait dû être quelqu'une d'autre. Sa méprise vient certainement du fait qu'elle est plusieurs. J'ai détecté sa foule par hasard, un jour que je ne cherchais rien de particulier et que je l'aimais un petit peu plus que d'habitude. (Il y a des jours plus luxuriants, comme ça.) Mais je ne connais pas chacune de ses autres personnellement. En tout cas, pas au point de pouvoir les reconnaître si l'envie me prenait de les saluer en les croisant par hasard dans la rue. De face, pourtant, elle a bien l'air toute seule. À s'y méprendre. Quand elle me parle, même au téléphone, je prends mon air le plus dégagé et je cherche ses autres, mine de rien. Elles me voient faire mine, elles ont de bons yeux. Mais elles ne savent pas toujours ce que signifient mes mines. Je leur laisse le doute, elles ne posent pas de questions. Elles me disent à l'unisson que je suis un animal étrange et laissent mes masques tranquilles pour que je me repose. Elles sont comme ça ensemble: toujours l'air de savoir quelque chose qu'on ne sait pas à notre sujet, mais elles nous laissent entièrement la paix avec ce qu'on ne sait pas. Ce qui en réalité n'est pas vraiment de la belle paix docile bien étendue et relaxe à l'ombre, au bord d'un lac non pollué. Pas vraiment.

Elles en mandatent une seule pour négocier avec l'univers visible. Les cheveux de celle-là sont l'indice le plus évident qu'elles doivent être plusieurs. Je me dis qu'on ne porte pas autant de cheveux blonds frisés sur sa tête si on n'a pas quelque chose à cacher, par exemple la présence d'autres chevelures en dessous. Je suis presque certaine d'avoir vu, des jours différents, des tresses, des cheveux très courts, l'ombre d'un chignon. Je dis presque. Avec elles rien n'est jamais sûr, c'est certain. Il y a toujours tellement de possibilités. Elles les étalent toutes devant nous pour qu'on choisisse une carte à condition que ce soit la bonne et la nôtre. Mais comment savoir ce qui est vraiment à nous? Elles sourient et rebrassent les cartes en silence, une espèce rare de muettes qui cassent les oreilles. À force, on s'épuise de tirer des cartes et on les jette par terre d'un revers de la main. Elles sourient et les ramassent dans le désordre. Elles disent, encore unanimes, que le désordre est une grande chose dont il faut prendre soin. On n'y comprend goutte et on continue de traquer les poussières sous les meubles en ignorant la fuite d'eau qui est en train de pourrir les fondations.

Elles ont toutes des âges différents. Mais aucune d'elles ne sait compter. J'ai même vu une vieillarde, qui a connu toutes les guerres depuis Azincourt, se pointer dans son œil entre deux clignements de paupières. Puis, l'instant d'après, une enfant trop maigre sauter à la corde avec sa jupe à motifs écossais. Et une autre encore, autour de trois ans, pas plus, qui n'avait pas assez de ses deux bras pour tenir la douceur donnée dans un ours en peluche.

Je me demande souvent comment elles sont entre elles, sans témoins. Elles ont l'air de prendre soin les unes des autres. Celle qu'elles envoient seule sur la ligne de front ne fait jamais négligée. Elle est harmonieuse et si parfaite qu'on se sent toujours un bas qui file même quand on ne porte jamais de bas de nylon. Elle porte de beaux vêtements en couleurs, elle sent bon, elle se coiffe. Elle ondule comme un arbre jeune, c'est ainsi qu'on la reconnaît, de loin, sur un trottoir. Et surtout, elle ne dit jamais à personne que c'est insoluble d'être plusieurs. Elle peut parler de tout sauf de ça. Ses autres lui en voudraient si elle étalait leur vie commune. C'est leur théâtre privé. N'allez pas croire qu'elle ne sait pas souffrir. Elle ne fait que ça. Mais elle a un sens de la dignité un peu suranné qui me fait penser qu'il y a aussi une ancienne princesse dans sa foule. Une femme en exil flotte à la surface de ses larmes qui lui font une mer intérieure. Chaque soir elles s'y retirent ensemble, à marée basse, sur la grève. Elles regardent le soleil se coucher dans ses couleurs et choisissent avec lui les pastels pour l'aube du lendemain.

Voilà: des petites filles dans la mer.

C'est elle.

Ce soir-là

CE N'ÉTAIT PAS un soir où la vie prenait le dessus. C'était un soir où personne ne savait comment juguler le sommeil pour en faire du repos, un soir de veille, un soir de mots qui n'ont plus de raisons de se dissimuler. Ils sortaient en toute lenteur et tombaient comme des mouches. C'était un soir de basse pression. La fièvre était reine en ton sang et le brouillard t'avait conquise. Tu étais lente et sans défense.

Tu es lente. L'air se creuse comme une main qui cueille. Tu es lente et l'air se calme et se creuse. La lenteur t'appartient de tout temps. Tu te loves en rond dans un coin du sofa usé. Tes yeux deviennent plus flous, moins noirs, et tes gestes ne sont plus pareils aux autres gestes d'avant la lenteur. Tu portes encore dans tes os la fatigue infinie de la vie quand elle est effrénée, et cette fatigue te sculpte une nouvelle aura. Tu es arrivée quelque part et tu ne l'as dit à personne. Ou peut-être que tu ne reprends pas le dessus sur quelque chose de si secret que la lenteur vient flotter à la surface, quelque chose qui te précède et te poursuit ou que tu poursuis, haletante, hagarde parfois, hébétée, sans mots, hirsute, belle. Dans ta quête tu deviens distraite, tu oublies de bouger. Tes vêtements ne vibrent pas comme d'habitude. Ils sont noirs et ta peau est lisse et blanche, fine. Ta voix est lasse, tes mots sont comptés. Ils sortent hachurés, précis, justes. Tu ne peux pas les accompagner plus loin dans ta fatigue, comme quelqu'un qui souffre trop et doit calculer tous ses gestes pour qu'ils se rendent là où ils doivent se rendre, chacun étant essentiel.

Tu es lente et ça me chavire. Je sais le désarroi qui ralentit toutes les marches. Je sais aussi la première peine d'où viennent toutes les autres. Et je te regarde avec.

Portrait avec filigranes

Elle a ses cocons.

C'est peu dire.

Elle est un long fil incassable qui prouve le ver à soie quand on doute de son existence et de son art. Elle tisse. Elle tisse son fil à celui d'autres qui ont aussi des métiers à tisser. Elle tisse et fait pousser des fleurs au lieu de marcher dessus. Elle croit mordicus aux graines.

Elle a ses choix.

C'est peu dire.

Elle ne marche sur rien d'autre que sur la terre nue. Même les routes elle les emprunte au lieu de les prendre. Si par erreur ou par malheur une personne est couchée en travers, elle marche sur la pointe des pieds en faisant un détour pour ne pas l'éveiller, ou elle va se coucher avec lui ou elle. En cas d'urgence, elle peut même se changer instantanément en sirène. Elle fait ça si vite que personne n'a jamais pu voir de ses yeux vu la transformation. Si elle avait été Florence Nightingale, elle aurait été une ambulance. Une sirène, c'est quand même plus joli.

Elle a ses façons.

C'est peu dire.

Parfois elle vole dans ses plumes d'un arbre à l'autre en imitant le cri du Kodak en chaleur. Tous les oiseaux et tous les arbres, y compris les généalogiques, s'y laissent prendre en douce, d'autant plus qu'elle les appelle par leur petit nom et qu'elle a bien connu leurs parents. Ils sont en confiance. Il y en a même un qui a fait son nid sur son épaule, bouleversant d'un coup toutes les règles de l'ornithologie. Elle déroule ainsi des kilomètres de pellicule en guirlandes où les oiseaux viennent se percher en attendant de nicher dans leurs propres images. Elle pense que la pellicule est de l'écorce de bouleau blanc qui n'existe sur terre que pour y graver des cœurs avec des noms dedans, exactement comme si elle était née au Québec. Mais elle n'oublie jamais que le castor existe. Chez elle, une pensée ne vient jamais seule.

Elle a ses yeux.
C'est peu dire.
Elle y dissimule des téléscopes géants qui lisent jusque dans les trous noirs, même quand c'est écrit petit comme sur les contrats d'assurances. Elle ramasse des images. Quand il y en a trop, elles lui tombent directement des yeux et s'en vont habiter dans ses papiers pour avoir chaud. Elle est terriblement colleuse.

Elle a ses convictions.
C'est peu dire.
Elle en veut à la terre entière quand la terre entière ne parle que le masculin. Elle parle au présent. C'est peu dire. À la place de Christophe Colomb, qui a fait croire au roi d'Espagne et au monde connu qu'il avait découvert une Amérique déjà découverte depuis belle lurette par des gens bien plus respectueux, elle aurait découvert les femmes, le seul continent manquant, sans même

chercher la route des Indes. Ce serait fait aujourd'hui. Les atlas seraient à jour dans toutes les bibliothèques. Les femmes ne seraient pas obligées de s'auto-découvrir tous les jours et de descendre dans la rue aux cinq minutes pour écrire leur histoire en essayant de parler plus fort que les descendus de Christophe Colomb qui continuent de prétendre qu'ils ont découvert l'Amérique comme si la mèche n'était pas éventée. Entre elles, les femmes se disent qu'ils ont plutôt trouvé la route des dindes, ce qui les fait beaucoup rire depuis qu'elles ont aboli la basse-cour sans leur dire.

Elle a ses tragédies.
C'est peu dire.
Si vous essayez par exemple de la mettre en cage, elle est capable de vous refaire dans l'instant l'histoire de la cage depuis l'invention de la cage par les humains. Ce qui crée immédiatement une fenêtre. Évidemment, les propriétaires de cages s'arrachent les cheveux étant donné que la fenêtre n'a jamais fait partie de leurs projets. Il vaut mieux ne pas essayer de la mettre dans une cage. C'est très compliqué. Elle ne veut manger que des pousses de bambou, ce qui est beaucoup plus rare que l'écorce de platane ou la mousse rose de tamaris qui sert à fabriquer la barbapapa. Vous passerez votre temps à courir la ville pour trouver des pousses de bambou fraîches si votre objectif n'est pas qu'elle meure. Elle est née en Chine, avec les pandas. Elle s'en souvient très bien. Mais comme elle est née en même temps dans plusieurs endroits à la fois, aussi bien en Russie, en Allemagne qu'en France, elle mélange les traditions. C'est comme ça qu'elle est heureuse.

Elle a ses filigranes.
C'est peu dire.

Ils sont plus nombreux que ses images.

Il n'y a rien à faire.

Elle refusera toujours qu'on la regarde à travers la lumière, même celle du jour. C'est sa seule jalousie.

Ce sera toujours peu dire.

Quoi qu'on dise.

Viens, on va se faciliter la vie

IL N'Y AURAIT JAMAIS eu rien de plus beau au monde que son sourire s'il n'y avait déjà eu auparavant la bouche qui savait faire le sourire. J'observe quelqu'un de très près. Je me sers de mon œil comme d'une loupe et je vois des choses étonnantes. Les pores de la peau sont des trous véritables par lesquels on peut entrer une fois qu'on a laissé la sueur sortir. Mais nous ne sommes pas des ayants droit, comme la sueur. Nous ne sommes là que pour usurper, toujours. On entre clandestinement par où la sueur sort et ça ne goûte jamais la même chose parce que le salé appartient à la sueur; et la sueur ne vient sur nous que lorsque quelque chose se passe avec la peur, la terreur, le désir ou le grand débat du cœur et des jambes.

Quand on fait une autopsie du désir, ç'a toujours l'air d'une autopsie. Le désir s'en absente et revient dans une heure, quand on s'est lassé d'essayer d'expliquer.

Je ne peux pas souhaiter être plus près. Il y a pourtant une table et une nappe en papier entre nous. Et tout cet encombrement dessus. J'atteins son milieu et rien ne bouge. Le désir surprend toujours quand on est en train de faire autre chose, de manger ou de rire. De rire surtout. Ou de ne pas y penser. Même quand on se fait croire qu'on ne le reconnaît pas et qu'on regarde ailleurs.

Les garçons s'agitent entre les tables. Le bruit monte et retombe sur nous, pluie acide. Il se cogne partout dans son billard aveugle, il grogne et s'amplifie, suinte aux murs, gicle, rebondit. Il ne peut rien contre la liquéfaction qui nous concerne en exclusivité.

Et pourquoi je ne dirais pas que ta sorte de peau me fait défaillir. Pourquoi pas. Il faut bien commencer quelque part à désirer. C'est arbitraire puisque tes yeux et tes fossettes avaient déjà commencé à me commencer dans le désir. Et probablement ce que tu disais. Et aussi ce que tu ne disais pas, parce que ça n'était pas vraiment nécessaire.

La sueur commence à couler sous mes seins, pas forcément parce qu'il fait chaud. Elle coule et je parle malgré tout. Elle chatouille lentement. Elle coule comme tout ce qui coule, vers le bas, pour rejoindre une source plus importante. Ma sueur est un affluent. Tout coule comme quand ça fond. Parce que ça fond. Puis ce sont mes tempes qui battent comme des tambours en peau d'Afrique, comme l'effet du vin. Puis c'est tout le reste, je ne sais plus dans quel ordre ou dans quelle simultanéité. Ma main qui se surprend à vouloir prendre celle qui émiette le pain ou triture le carton d'allumettes. Ou celle qui passe son doigt doucement sur le rebord de l'assiette vide. Ou qui ne fait rien. Simplement d'être à prendre. J'entends plus, j'entends tout. Un magnétophone se déclenche tout seul et enregistre, je dirais avec la précision d'un microscope. L'image et le son organiques. Je ne peux plus dissocier. J'ai des oreilles dans les yeux et des yeux dans les oreilles. Le temps passe et nous caresse au passage comme il ne le fait pas souvent. Il pense à nous caresser avant qu'on ne le fasse, avant même qu'on y songe précisément. On tète encore le dernier café qu'on n'ose pas finir parce qu'on ne sait pas dans quelle forme on va se retrouver ensemble. *Together*. Il faut encore penser à l'addition. Le lit est tellement loin qu'on ne sait pas si on va pouvoir y arriver. Il y a tant d'autres couches à traverser.

Maintenant il n'y a plus un bruit dans le restaurant, même s'il est rempli à ras bord comme d'habitude. Le magnétophone ne capte plus les bruits du restaurant. Il va chercher tous les silences, même si les mots continuent de se débattre, encore trop nombreux. La seule chose qu'on ne puisse pas faire, c'est d'arrêter le temps, et on y arrive presque, malgré tout. Mais comme il est difficile d'arriver jusqu'à un lit. Il faut faire tant d'efforts surhumains pour payer, s'habiller quand c'est l'hiver, sortir, prendre un taxi ou marcher, monter des escaliers interminables après avoir déverrouillé une porte avec une clef longtemps perdue au fond d'un sac, qui ne se rappelle jamais son Sésame tout de suite et qu'il faut toujours aider. Que c'est difficile à ouvrir, une porte. Que le lit est loin. Si loin qu'on a déjà presque changé de sujet et qu'on a oublié de continuer de fondre. On a commencé à se reconstituer. On oublie.

Il faudrait pouvoir s'étendre dans le restaurant, se rapprocher jusqu'à ce que la table n'existe plus et se prendre sur place, en toute intimité, en toute chaleur. Mais il y a la taxe à rajouter à l'addition, le pourboire à calculer, les retardataires, comme nous, pour des raisons diverses, et le garçon qui veut finir son quart. Il est excédé. Je suis excitée. Toi aussi. Il ne le voit pas. Personne ne nous voit. J'ai entendu tes jambes s'écarter sous la table et j'ai senti ton sexe venir jusqu'à moi. Il venait aussi de tes yeux et de ta bouche, à ma rencontre. Et j'étais là, absolument. Personne n'a rien vu. Ils n'ont pas vu l'eau me venir à la bouche quand tu t'étirais, quand tu t'allongeais vers moi. Ils n'ont rien vu du tout. Ils ne m'ont pas vue te recevoir au complet et manquer de souffle. Ma cigarette fumait quand même au bout de ma main. Je souriais. Ils n'ont rien vu d'autre que la fumée de ma cigarette qui s'alanguissait entre nous. Je suis entrée dans ton sourire et même dans ton rire, je suis revenue, je suis venue. Je suis entrée partout, tranquillement.

Viens, on va se faciliter la vie. L'Histoire ne le dira pas. Le coton de ma blouse ne peut plus rien cacher, mes seins pointent jusqu'à ta bouche. Tu vois leur durcissement, tu le vois et tu le veux. J'entends dans ta voix un manque, une ellipse dans le souffle qui ne se rend plus par le canal habituel. Ta bouche est déjà occupée. Je parle avec ta salive. Ton souffle est en moi et m'alimente. Je te prête ma peau.

Viens, on va se faciliter la vie. Je te redonne ton souffle pour que tu puisses retrouver notre calme. Parvenir jusqu'à ce calme. N'explose pas. Je veux que tu saches que je comprends les volcans qui dorment. N'explose pas. Je comprends la douleur des volcans. Le cœur nous manque. On ne dit pas n'importe quoi mais on le sort comme ça vient. Nos langues se parlent entre elles. Nous comprenons tout. Nous sommes en eau. Nous sommes en nage. En âge. Nous ne savons plus écrire et nous n'avons jamais fait l'amour avant. Analphabètes. Tu frissonnes. Tu passes ta main dans tes cheveux.

Viens, on va se faciliter la vie. J'ai besoin de traverser ton corps pour venir jusqu'à moi. Nous prenons l'eau, ça coule de toutes parts. Tous tes orifices ont leur liquide, chacun d'eux m'étanche et chacun d'eux me reçoit.

Et parce que chacun des miens te reçoit aussi, on se revoit demain.

Egmont... Mont Adams... Agung... Ilopango... Srongyle... Agua... Cayambé.

Qui es-tu?

QUI ES-TU? Tu souris comme tu respires.

Je vois la nuit se fendre et sortir de ses flancs des copaux de diamants que personne ne ramasse sous prétexte que ce n'est que de la pluie.

Qui es-tu? Tu souris comme tu respires.

Je vois l'asphalte se fendre et sortir de ses flancs des lagunes où personne ne navigue sous prétexte que ce ne sont que des flaques d'eau.

Qui es-tu? Tu souris comme tu respires.

Je vois la mer se fendre et sortir de ses flancs des parfums inédits que personne ne sent sous prétexte qu'ils sentent trop le sel et pas assez la rose, trop les algues et pas du tout l'œillet.

Qui es-tu? Tu souris comme tu respires.

Je vois l'horizon se fendre et sortir de ses flancs des nuées d'âmes blanches et noires que personne ne voit sous prétexte qu'elles n'existent pas.

Qui es-tu? Tu souris comme tu respires.

Je vois la terre se fendre et sortir de ses flancs des buées de chaleurs lourdes qui flottent depuis le fond des abîmes que je frôle avec toi et que personne ne voit sous prétexte que le soleil tape trop dur.

D'où viens-tu? Tu souris comme tu respires.

Je sens mon corps se fendre et sortir de ses flancs la lave de ses volcans.

Jour de pleine lune

LA PORTE DE LA VÉRANDA ne fermait pas bien mais claquait sec. Le soleil était là ce matin. Encore hier, il était venu s'installer dans les yeux de Luna. Amye l'avait vu. Prudente, elle était allée vérifier s'il brillait dehors, non. Il était là, dans les yeux de Luna. Elle s'était sentie privilégiée d'être l'unique témoin de ce phénomène. Elle ne l'avait dit à personne, pas même à Luna qui ne s'en doutait pas. Elle avait toujours su comment faire pour garder un secret vraiment secret, elle s'en félicitait aujourd'hui. Elle ne prévint surtout pas les astronomes.

Amye descendit la pente douce qui s'étirait jusqu'au lac, lui-même étiré on ne savait jusqu'où. Luna et elle s'y étaient risquées un jour, à travers les nénuphars en fleurs jaunes et les plantes aquatiques dont elles ne savaient pas le nom, qui s'accrochent au canot en ondulant: mains, serpents ou vahinés? Difficile à dire. Elles eurent peur et rebroussèrent chemin, les images devenant trop fortes. La fin du lac resta inachevée.

Elle continua de descendre la pente doucement jusqu'à l'arbre, le doyen de la rive. Elle s'arrêta un instant pour repenser au soleil dans les yeux de Luna. Le soleil lui-même avait choisi le corps de Luna. Ça ne fera pas les nouvelles, qui croirait ça? Elle le voyait encore baver de bonheur, déborder de tous les pores de sa peau fine.

Il en sortait en filaments de verre blanc. Elle se souvint du verre de Murano, près de Venise, qui s'étirait en spaghetti paresseux et transparent. Le soleil sortait à foison, revenait par le sourire, glissait sur l'épaule opale de Luna où la chemise oblique avait laissé un triangle lascif, faisait un peu d'ombre et revenait prendre les yeux de Luna pour des hamacs. Un fou. Amye riait de son manège. Luna riait aussi, mais pas pour les mêmes raisons. Le soleil était là à son insu. Ça n'avait pas d'importance puisque leurs rires s'accordaient.

Elle arriva près de l'arbre, sortit le fil de sa machine à écrire, planta la fiche dans le tronc, à l'endroit prévu à cet effet, et se cala le dos confortablement entre deux fissures de l'arbre. Elle laissa monter la sève un instant et alluma la machine. La veille, elle avait décidé d'écrire, et c'était le premier jour. La veille, elle avait vu le soleil dans les yeux de Luna pour la troisième fois, et elle s'était enfin décidée à écrire. Elle finit toujours par bouger quand on insiste comme ça. Elle n'aime pas avoir l'impression de se faire prier. La veille aussi, c'était le dixième anniversaire de la mort de son père, un 29 mai chaud. La veille avait été une journée chargée.

Elle ne savait pas du tout ce qu'elle allait écrire, alors elle prit l'ascenseur vers le sous-sol. Elle ramassa un peu de sa propre chair au passage et en fit des lignes: «À cinq ans, elle voulait écrire. Son rêve est pratiquement plus vieux qu'elle. Elle a fait de multiples détours. Elle n'est pas simple, à son grand désarroi. Elle aime aimer et être aimée, rire et être rie. Elle confond d'ailleurs souvent les deux. Vu que l'absolu n'existe pas dans la vie, c'est la seule chose qui l'intéresse. C'est pour ça qu'elle veut écrire, et pour aimer les gens. Elle aurait pu tout aussi bien devenir missionnaire ou Lancelot-du-Lac. Ce n'est pas une raison pour ne pas écrire. Il y en a bien assez comme ça, de raisons.»

Elle n'alla pas plus loin. Le visage de Luna venait tout juste de s'interposer entre sa feuille, ses yeux et ses doigts sur le clavier. La musique de Luna enterra ses mots d'un coup. Elle se relut. Elle se cala plus fort contre l'arbre et poussa un soupir. La musique de Luna revint, comme à chaque fois qu'elle pensait à Luna. La musique s'orchestrait. Le corps d'Amye possédait un transistor qui s'allumait tout seul au visage de Luna ou à la voix voilée de Luna. Il était branché aurait-on dit sur l'histoire de la musique et des plus beaux mots jamais chantés. Il ne connaissait pas les hit-parades. «Ça ne prévient pas, ça arrive, ça vient de loin», chante une femme rauque, un saxophone déchiré au fond de la voix.

Amye fredonne. Elle vient de débarquer dans le présent sur ses deux pattes, et son corps n'a pas bronché. Une gymnaste. Elle ne peut jamais oublier Luna. Elle n'essaie même pas de le faire, ce serait trop épuisant. Elle n'a jamais envie non plus de chasser l'image de Luna quand elle vient. Cela étant admis, elle connaît Luna depuis quinze jours et n'arrive à penser à rien ni personne d'autre depuis. Il faut pourtant mettre les poubelles au chemin, réparer la moustiquaire de la véranda qui bée sur deux déchirures, manger, dormir et puis quoi encore. On n'a pas que ça à faire. Elle ne pense à rien d'autre, mais elle sait encore prendre des décisions. Elle se rassure comme elle peut. Amye pense à sa rencontre avec Luna. Elle se risque au «je». On verra bien.

«Je n'avais envie de voir personne ce jour-là, alors je suis allée au Café Cherrier manger un confit de canard. Je lisais le menu pour la forme en attendant le garçon, quand mes yeux ont croisé le regard d'une femme en face de moi, seule à sa table devant un kir probablement royal. Manifestement, elle était grippée. Son nez coulait et elle se mouchait sans arrêt. Elle entassait les kleenex en boule dans son sac à main. Je n'ai pas du tout pensé qu'elle pouvait avoir de la peine. Je me suis levée et me suis assise devant elle.

– Avez-vous l'heure?

– Il est cinq heures vingt.

Elle me répondit en sortant de sous sa manche de chandail ample une montre Swatch, où les aiguilles trottaient, affolées, sur fond de tableau de Tousignant.

– Je m'appelle Luna. Et vous?

Elle avait la grippe: son «*m*» était un «*b*», et son «*n*», un «*d*». Je l'aurais comprise dans n'importe quelle langue. Aphasique même. Ce fut ainsi que je rencontrai Luna, je le jure. Nous étions jumelles de bien avant nos corps, et nous ne nous quittâmes plus.»

L'esprit d'Amye revint à l'arbre, à la véranda, au lac. Elle quitta le «je» et le présent pour se reposer un peu. Il était midi. Luna dormait encore. Luna dormait comme elle respirait, le rêve étant son élément naturel. Amye éteignit sa machine à écrire. Le lac avait ses rides. Elle eut l'impression d'entendre un chevreuil se mourir d'amour, mais ce pouvait tout aussi bien être un braconnier qui voulait qu'un chevreuil croie ça. On ne sait jamais, avec les plaintes d'amour, quand on est un chevreuil en tout cas. Amye se leva lentement. Son T-Shirt resta accroché à l'arbre. Elle se déprit, débrancha sa machine et se demanda subitement combien de temps il aurait fallu pour qu'elle fasse corps avec l'arbre. Il était trop tard, elle s'en était déjà arrachée. Elle vérifierait une autre fois. En remontant vers la maison, elle se demandait comment elle allait se faire un espresso sans éveiller Luna quand elle l'aperçut, debout, à travers la moustiquaire de la véranda. Luna n'avait pas le soleil dans le corps cette fois, elle était trop endormie. Mais il s'en était fallu de peu. Amye recommença à respirer, distraite un instant de son système respiratoire.

– As-tu bien dormi?

– Très bien.

– Veux-tu un café?

– Oui.

Qui disait quoi n'avait pas d'importance. Leurs phrases étaient courtes. Elles auraient pu aussi être muettes.

– J'ai écrit.

– Je le savais. Quoi?

– Ma vie au complet en quelques lignes.

– Tu vises le condensé?

– Oui. Mon père lisait le *Reader's Digest*.

– C'est héréditaire alors.

– C'est ça. Une pincée de sucre et beaucoup de lait.

– Je sais.

Elles savaient toujours tout. Surprenant. Après le Café Cherrier, elles avaient décidé de vivre au présent. La plupart du temps, elles y arrivaient. Mais Amye avait du mal. Son corps avait tendance à se métamorphoser en petit animal frileux, et sa tête disparaissait régulièrement sans laisser d'adresse. Quand elle revenait, sa tête était allée glaner des renseignements à droite et à gauche, dont Amye ne savait que faire. Le corps d'Amye était l'objet principal de sa peine principale. Elle ne pouvait jamais lui faire confiance, il n'avait pas de fond.

Le bruit de la cafetière qui moussait le lait ramena la tête d'Amye à sa place. Cette fois avec une information qui la fit trébucher. Elle renversa tout son bol de café sur sa tenue de jogging rose et vert.

– Oh, dit Amye.

– Attends, dit Luna, en apportant le rouleau complet de Scott Towel.

– Je suis bête et maladroite.

– Mais oui.

– C'est la pleine lune ce soir.

– Mais non. Tu as le droit d'être maladroite.

– Je te dis.

– Tu es bien nerveuse.

– C'est rien. Un nuage.

– Lequel?

– Un cumulus nimbus en forme de toi.

– Oh...

Le nuage passa, une armée d'anges, et elles se mirent à entendre les mouches voler. Il faudrait certainement faire réparer la moustiquaire.

– Regarde-moi.

Luna n'avait pas l'habitude de commander.

– Je te vois.

– Mais tu as les yeux fermés. Regarde-moi.

– Je te vois très bien. Ne te fie pas aux apparences, mes yeux ne se ferment jamais sur toi. Même quand je dors, tu es là, ma vision supérieure, ma vision intérieure. Quand je te regarde avec mes yeux, c'est un surplus.

Amye en avait dit beaucoup à la fois. Elle était subitement fatiguée. Elle avait envie de dormir.

– Qu'est-ce qu'on va faire?

Amye s'en voulait d'avoir quitté le présent. Luna venait de la rejoindre, essoufflée, avec sa question. Parfois Luna passait à l'action. C'était toujours subit.

– Qu'est-ce qu'on va faire? répéta Luna pour gagner du temps.

– Qu'est-ce qu'on va faire? répéta Amye après Luna, pour être au moins dans la même question que Luna.

– On va d'abord continuer à se connaître, je crois.

– Oui, mais comment?

Amye gardait toujours ses yeux fermés pour mieux voir Luna.

– Ne t'en fais pas, tout ira bien.

Luna était optimiste. Elle oubliait que le corps d'Amye était un mercenaire forcené.

– Oui mais comment?

Amye était en train de devenir un disque rayé.

– On verra.

– Je ne demande pas mieux que de voir avec toi. Mais quoi?

– Tu n'es pas patiente.

– Ma patience est aussi longue que la vie d'une orange dans ma bouche.

– Tu parles bien.

– Je parle trop.

Avec Luna, Amye ne savait pas bien se taire. Elle transformait tellement tous ses gestes en mots que c'en était désolant. Les rares fois où elle se taisait, son corps se mettait à hurler et elle devait l'amener dehors, toute affaire cessante. Amye parlait, parlait, alors que la seule chose qu'elle souhaitait était de savoir se passer de mots avec Luna. Elle parlait, parlait, au lieu de prendre Luna dans ses bras, au lieu de lui caresser le dedans du bras, au lieu de cacher ses doigts dans ses cheveux fauves, au lieu de couler par le fond et de se perdre corps et bien. Elle parlait, parlait, elle changeait tout en mots, le vin en eau. Elle provoquait parfois des avalanches. Luna elle-même trouvait qu'Amye savait parler beaucoup. Elle n'avait jamais trouvé ça suspect: Luna était une esthète et les mots d'Amye étaient beaux. Il faut dire que, même abondants, Amye les choisissait un à un quand elle les adressait à Luna.

Amye avait pourtant la sensation d'être muette. Les mots s'enserraient autour de son cou en foulard trop serré. Les mots voulaient la peau d'Amye et Amye voulait le corps de Luna. Les mots se débattaient et mordaient Amye parce qu'elles voulaient qu'ils soient ce qu'ils ne sont pas. Elle leur demandait l'impossible, mais les mots n'acceptent jamais d'être des champions du monde toutes catégories. Elle exigeait d'eux qu'ils soient ses doigts, sa langue, ses mains, sa peau. Elle exigeait qu'ils préparent longuement des caresses vertigineuses, qu'ils se frôlent au corps de Luna comme des chats insatiables. Elles vivaient là une terrible déperdition de chaleur. Elles vivaient en dessous de leurs moyens.

C'est alors qu'Amye perdit la parole. Elle abandonna sa tête facilement à l'épaule de Luna et ne bougea plus. Luna prit délicatement le cou d'Amye entre ses longs doigts écartés et glissa sa main dans ses cheveux.

Elle prit la parole qu'Amye avait abandonnée, au sens strict.

– J'ai des loups plein mes rues. Je sors de mon corps la nuit pour ne pas qu'ils sentent mon odeur. Et tant que je ne sais pas si je peux les faire manger dans ma main, je ne peux pas t'ouvrir la porte. Non, tu ne peux pas les dompter, tu ne peux pas les tuer. Un jour j'aurai raison d'eux, mais je ne sais ni quand ni comment. Je préfère que tu m'accompagnes, à portée de voix. J'ai peur dans le noir. Je te demande l'impossible. Y a-t-il autre chose à demander? Tu me le donneras.

Amye ne bougea pas. Elle n'ouvrit pas les yeux. Elle resta là. Luna parla longtemps encore. L'heure avait noirci.

Elles s'étaient croisées une nuit, en panne d'enfance à quatre heures du matin, sur la même route déserte. Elles étaient cosanguines. Avec la venue des mots dans son corps, Luna apprenait la lenteur de la goutte d'eau qui creuse le marbre. Amye apprenait la lenteur de Luna. Elles iraient en Italie ensemble un jour, quand elles pourraient se servir de leurs corps. Elles feraient des voyages pour être bien certaines que toutes les mers ne se ressemblent pas. Amye rêvait de faire des reportages-photos dans les rêves de Luna pour écrire des livres exclusivement biographiques avec preuves à l'appui.

Après cette journée, qui dura bien plus longtemps que les heures réglementaires, elles n'eurent plus le temps de dormir.

Elles ne se quittèrent pas.

Le baiser rouge

Dans l'encoignure d'une porte de salle de bains.

— Es-tu prête?

— Dans deux minutes. Il me reste les cheveux...

— ... à dépeigner. Je vois.

— Très drôle. Tu dis ça à chaque fois.

— Parce que c'est beau. Sinon je ne dirais rien, tu le sais bien.

— Je ne sais jamais rien. Tu le sais bien. La terre passe son temps à s'ouvrir sous mes pieds. Tu le sais bien. Et toi tu passes ton temps à me remplir les crevasses.

— Tu mens. Tu sais toujours tout. Mais tu aimes tellement les surprises que tu fais mine de ne rien voir. C'est subtil...

— Et toi tu adores remplir les crevasses parce que tu adores penser que tu m'empêches de tomber dedans. C'est ton petit côté Lancelot-du-Lac...

— C'est subtil...

— Oui, très subtil.

— Luna...

– Oui?

– En ce moment, je retiens à deux mains une furieuse envie de t'enlever ton rouge à lèvres.

– Quoi?

– En ce moment même, j'ai une furieuse envie de t'enlever ton rouge à lèvres.

– Tu délires. Tu dis toujours que tu aimes faire de la fièvre. Tu es tombée sur la tête?

– De la hauteur où je suis, je ne me fais jamais très mal.

– Je ne comprends rien à tes histoires. Qu'est-ce que tu as ce soir? On ne peut pas aller au cinéma tranquilles? Il faut que tu écrives un scénario avant de partir? Tu me déconcentres dans mon savant dépeignage. Va prendre l'air...

– Excuse-moi. Je suis en pleine crise de spontanéité, ça va me passer.

Dans la cour, Amye se berce lentement dans une balançoire à quatre places qui grince. Autrement, c'est le silence. Elle regarde droit devant elle. Luna s'approche lentement. Elle arrête la balançoire et s'assoit à côté d'Amye. Elles poussent la balançoire avec leurs pieds pour repartir le mouvement. Elles regardent toutes deux droit devant elles.

– Amye...

– Oui?

– Est-ce que tu viens de me faire des avances?

– Non, pas du tout.

– Alors qu'est-ce que c'était, dis-moi?

– Une furieuse envie de t'enlever ton rouge à lèvres, je te l'ai dit. C'est pourtant simple à comprendre.

– Tu es en train de me dire que je complique tout.

– Voilà. Tu vois que tu peux facilement savoir des choses qui ne sont pas dites textuellement.

– Tiens, tu ne me remplis pas les crevasses ce soir. La terre vient pourtant de s'ouvrir sous mes pieds. Qu'est-ce que tu attends pour voler à mon secours?

– As-tu besoin d'être sauvée, Princesse? Tu as l'air d'avoir le contrôle parfait de la situation et de ton rouge à lèvres. Ce qui n'est pas mon cas, quoique tu en penses. Et je ne porte jamais de rouge à lèvres.

– On mord?

– Tu es prête? Tu as tes clés? Ton khôl à la bonne place? Ton portefeuille?

– J'ai tout ça, et j'ai aussi mon rouge à lèvres. Je l'ai encore.

– Je ne suis pas encore aveugle à ton sujet. On y va?

– Tu abandonnes vite.

– Je n'ai pas envie de jouer, viens-t'en.

– As-tu remarqué comme l'air est exactement à la bonne température? Il n'y a pas de différence entre le dedans du corps et le dehors.

– Oui. Je remarque ces choses-là aussi. Il reste dix minutes avant le début du film.

– Ça ne nous a jamais fatiguées de changer d'idée. On en tire même un certain plaisir.

– C'est vrai. Mais pas ce soir.

– Qu'est-ce qu'il y a de différent ce soir? Je te trouve bien énervée. Ça va te donner chaud. Je me demande vraiment comment tu peux à la fois vouloir m'enlever mon rouge à lèvres et aller au cinéma. Excuse-moi, je suis mystifiée.

– Tu joues avec mes nerfs.

– Non. Moi, quand j'ai une envie, tu peux être certaine que je n'ai pas besoin de permission en double exemplaire. C'est difficile de croire à tes envies. Comment veux-tu qu'on y réponde?

– Ce n'est pas ce soir que je vais régler mon problème. Viens-t'en.

– Tu recules? C'est décevant.

– Tu voudrais que je ne recule pas? Non. Tu joues. Si j'avais fait le moindre geste pour t'enlever ton rouge à lèvres, tu te serais drapée dans ta dignité et tu te serais enfuie, dans tes cheveux ou ailleurs.

– Qu'est-ce que tu en sais? Tu vis à ma place maintenant?

– Tu as mis ton ensemble bleu Italie et ton maudit rouge à lèvres, alors on y va.

– Tu lances des envies en l'air et tu ne regardes même pas où elles tombent? Jusqu'à tout récemment, j'avais un libre-arbitre que je pouvais exercer à mon gré. Je ne crois pas l'avoir perdu depuis les cinq dernières minutes. Tu refuses le risque, et tu refuses la confiance. Ça bouge mal tout ça.

– Dois-je comprendre que tu serais sensible à mon envie?

– Tu ne comprends rien. Je pourrais par exemple ne plus avoir du tout envie de porter ce foutu rouge à lèvres. Je pourrais par exemple avoir le goût de l'enlever ou de me le faire enlever. C'est pareil.

– Ce n'est pas pareil du tout. Le premier exemple concerne une main et un kleenex anonyme. Le deuxième exemple est une invitation à une autre bouche. Ça n'a rien à voir.

– Ce n'est pas une invitation, c'est une envie. J'aime bien l'idée de me faire déshabiller en commençant par la bouche.

– Je ne veux pas te déshabiller. J'ai faim de cette couleur comme d'une fraise. C'est tout.

– Et de la bouche qui porte cette couleur, non? Tu mens.

– Oui.

– Tu mens tout le temps, n'est-ce pas?

– Oui.

– Tu devrais dire: «Oui, je mens tout le temps.»

– Oui.

– Dis-le.

– Oui, je mens tout le temps.

– Enlève-moi ce rouge à lèvres. Il me donne chaud. Si tu ne le fais pas, je vais le faire moi-même. Je n'attendrai pas.

– Tu exagères.

– Oui. Enlève-moi ce rouge à lèvres. Je n'irai pas au cinéma en bleu Italie.

– Dommage.

– Non. Ce rouge à lèvres n'était là ce soir que pour m'être enlevé. Tu as raison. Je veux que ce rouge à lèvres me soit enlevé par toi. Qu'est-ce que tu attends?

– J'ai le trac.

– Moi aussi. Risque. Je sais moi aussi remplir les crevasses quand la terre s'ouvre. C'est toi qui m'as appris. Tu te souviens?

– Oui, je me souviens.

Le rouge à lèvres brillait dans l'espace, suspendu. L'heure et la lumière n'avaient plus d'impact sur elles. Plus rien. Elles étaient devenues on aurait dit invisibles autour de leurs bouches. Invisibles et bruyantes. De ces genres de bruit qui n'affectent pas le silence comme des tempes qui battent ou la circulation du sang qui s'accélère. Quelque chose entre elles venait de casser. Une vitre, quelque chose qui ressemblait à une paroi. Quelque chose venait de lâcher, d'abandonner sa position droite, le cou hautain. C'est d'abord dans leur cou qu'elles le sentirent. Puis dans leurs épaules. C'était le déferlement fragile de l'eau à marée basse, qui prend la nature de l'huile dans son épaisseur. Il y a toujours de l'eau dans toutes les histoires pleines. Leurs têtes suivirent le mouvement. Elles continuèrent de parler doucement à travers la disparition lente du rouge à lèvres. Elles se dirent des choses qui ne concernaient que leurs bouches. Rien d'autre. Il y avait tant à dire. Ni l'une ni l'autre n'avait connu cette lenteur avant. Elles n'auraient même pas pu se souvenir comment elles étaient arrivées à cette lenteur si on leur avait demandé. Elles se parlaient pour la première fois.

Le rouge à lèvres était disparu depuis longtemps quand elles s'endormirent.

À l'aube.

Gros plan
(Le baiser du 20 avril 1979, 17 heures)

Nos bouches étaient si proches que le baiser devait être commencé depuis longtemps sans qu'on le sache. Tu as cassé un mot en miettes pour me dire: embrasse-moi.

Le baiser était déjà bien vivant quand tu as dit: embrasse-moi. Il était évident. Je n'ai rien dit. J'ai regardé tes yeux de plus près, en fronçant vaguement les sourcils. Je suis arrivée à tes lèvres facilement. C'était le plus court chemin. Les yeux sont le plus court chemin d'une bouche à une autre, c'est géométrique: le théorème le plus compris au monde.

Je n'ai pas touché tes lèvres tout de suite, même si j'en étais si proche qu'une feuille de papier de soie n'aurait pas pu passer entre mes lèvres et les tiennes. J'en ai fait le tour lentement. Entrouverte, ma bouche respirait sa pareille. Ce fut long. De la longueur du temps amoureux. Je ne pouvais plus quitter tes yeux. Ma bouche continuait sa lente reconnaissance. À force de se respirer, nos lèvres ont séché. J'ai mouillé doucement tes lèvres avec ma langue, et j'ai mouillé ensuite mes lèvres sur les tiennes. Lentement. C'est à ce moment-là que nos lèvres se sont jointes. Deux morceaux de puzzle. C'est à ce moment-là que nous avons appris le baiser qui se vivait entre nous.

On ne se touchait pas d'ailleurs. Que des yeux et de la bouche. Pourtant, nous étions liquides. Pourtant, des mains poussaient dans nos ventres et allumaient des tisons un à un dans le réseau du sang. Nous étions un seul système respiratoire, insatiable, inopérable, incurable.

Nos lèvres bougeaient sans se perdre une seconde. Nos langues bougeaient, emprisonnées. Mais nos corps ne bougeaient pas, ta tête contre le coussin du sofa et moi, penchée sur toi.

Je ne sais plus comment nos lèvres ont réussi à se séparer. Je me souviens que nous avions le souffle court et que nos poitrines se soulevaient presque à se toucher, au même rythme. Il y avait des sons dans nos bouches, des «h» aspirés surtout, des petites brises qui se perdaient à l'intérieur des joues. Il n'y avait pas tellement de ces bruits mouillés qui caractérisent les baisers avides, passionnés. Nous étions pourtant avides, mais nos yeux étaient savants dans l'art de nous orchestrer.

C'est peut-être cette fois-là que je t'ai raconté, avec le plus de détails, que je t'aimais.

Dehors, c'était le mois d'avril.

La gourmande

Monsieur, vous m'avez dit d'aller me faire foutre, et bien c'est ce que j'ai fait. Votre suggestion était excellente au demeurant. J'aurais dû y penser moi-même. Vous m'en voyez confuse.

(Rire mondain.)

Monsieur, si vous aviez vu cet animal...

On aurait dit que chacun de ses muscles était un cheval de race pure qui courait la Camargue en sueur. De toute beauté. Il luisait constamment dans l'ombre, la pénombre et la noirceur aussi. Avec lui, je devenais nyctalope, je devenais une chatte en mal de mâle. J'aurais rampé sous les voitures s'il avait fallu, pour l'avoir. Je serais devenue une antenne pour capter toutes ses ondes et n'en pas laisser une seule vagabonder au hasard. J'aurais bu un lac entier s'il avait fallu, pour l'avoir. J'étais prête à tout. Mais je n'ai pas eu besoin de recourir à ces extrémités parfois humiliantes. L'animal est venu tout seul manger dans ma main, en piaffant d'impatience.

Monsieur, si vous aviez vu sa bouche... Un temple où j'allais m'agenouiller à toute heure, carmélite mouillant mouillée sous sa langue. Carmélite aussi sous ses paupières en peau fine, carmélite dans ses bras qui rappelaient les serres d'un condor qui aurait inventé le velours.

L'animal qu'il était beau...
(Nostalgique.)

Il était... appétissant. Je ne pouvais pas le voir sans que la salive se mette à s'affoler dans ma bouche. L'eau me montait aux lèvres. Je devais constamment aspirer le trop-plein et avaler, avaler, si je ne voulais pas périr noyée dans ma propre salive.
(Rire.)

Monsieur, si vous aviez vu son sexe. L'Empire State Building! J'exagère, dites-vous? Comme vous manquez d'imagination. C'est l'une des raisons pour lesquelles je vous ai quitté d'ailleurs. Je parle de l'impression que j'avais quand il me remplissait toute, des cheveux jusqu'aux orteils, parce que dire «de la tête aux pieds», c'est encore trop vague pour décrire la précision du raz-de-marée. Il m'enfonçait les grandes orgues de Notre-Dame. J'en voyais des rosaces.

Ah!... Vous trouvez que j'ai l'érotisme érudit? Ignorant. Mais, monsieur, avec cet animal, j'avais la science infuse, je savais tout ce que je devais savoir, je contenais toute la connaissance du monde. J'entendais des cantates splendides, inédites, que même le génie d'un Beethoven n'aurait pu inventer. Nous inventions la musique, monsieur, quand nos corps se greffaient l'un à l'autre, se confondaient. Nous inventions le monde, monsieur. Il en a bien besoin, le monde, d'être inventé.

L'animal qu'il était beau. Il était... croquable.

Si vous aviez vu ses mains, monsieur. Ses mains dont les doigts étaient tellement habiles et mouvants qu'il pouvait multiplier son sexe par dix quand il le souhaitait. Il m'a mise à l'index mille fois. Je devenais un livre défendu par lui seul, mon unique lecteur. Nous avons écrit tant de pages ensemble que nous sommes quasiment devenus encyclopédiques, monsieur. Encyclopédiques!

Il faisait de moi ce qu'il voulait, l'animal. Il pouvait me retourner comme une crêpe, me rôtir à petit feu, ou m'incendier jusqu'à la conflagration. Il pouvait me croquer comme une pomme, me laisser mijoter dans mon jus, ou me faire déborder comme une eau qui bout à gros bouillons. Il pouvait tout faire avec moi, parce que je le voulais. J'étais sa maîtresse. Vous pouvez prendre le terme au sens littéral. Je savais muscler son imaginaire et tout ce qui s'ensuit.

Si vous aviez vu ses épaules, monsieur. Des rambardes auxquelles je m'accrochais pour voir la mer et les mouettes à volonté. Régulièrement, je passais par-dessus bord quand une vague trop violente me soulevait. Il venait me chercher à chaque fois, monsieur. À chaque fois il plongeait pour me sauver, au risque de sa vie. Ce n'étaient pas de simples vagues, c'étaient des lames de fond, des séismes venus des entrailles de la terre expressément pour nous soulever, nous deux uniquement. La descente du Niagara en baril, monsieur, à côté de ces maelströms, est une plaisanterie, une anecdote, sans plus.

(Rêveuse.)
Ah...! Être consumée par un désir d'épaule, c'est tellement soudain que ça prend toute la place: dans la tête, entre les doigts, sous les paupières, au creux des cuisses, entre les seins, dans les gencives, au bout des cheveux, sous la plante des pieds. Dans le bruit des draps froissés et du sommier qui grince, des souffles qui se cherchent et du mur qu'on écorche, des mots qui se

disent brefs. Et ça sent le soufre, la flamme et le pétard mouillé...

(Elle se réveille.)

Mais je m'égare, monsieur. Vous ai-je parlé de ses fesses? Des joues rondes au bas de son dos. Des petits ballons gonflés d'air qui se durcissaient juste au bon moment. De ces belles fesses d'homme qui se creusent comme si des bouches les aspiraient par le dedans, comme si les muscles s'en retiraient par instant. Des fesses qui jouissaient, qui débordaient de jus sous leur peau de pêche, avec juste ce qu'il faut de rêche sous la langue pour que le plaisir pèche par alanguissement.

Que vous dire de plus? Je le buvais comme du petit lait, l'animal, en me pourléchant les babines. Et je n'arrivais jamais à oublier la soif. Le lit était un désert et mon animal était l'unique oasis à des kilomètres à la ronde. Au matin, je léchais la rosée qui suintait de son corps avant que le soleil ne l'assèche. Je faisais une course avec le soleil chaque matin et je gagnais, monsieur, à tout coup. Il ne voulait que de moi sur sa peau. Il ne voulait pas du soleil. Il était si sensible.

Et pendant tout ce temps je ne vous ai pas parlé de ses cheveux? Implantés un à un dans la mémoire de mes cuisses, des fils de soie venus d'Orient sur des chameaux langoureux, dans des coffres précieux, expressément pour me faire chialer de douceur. Quand je caressais ses cheveux, je comprenais d'un seul coup le sens du mot «légèreté». Mais je l'oubliais aussi vite quand ma main se retirait en éprouvant du chagrin. Saviez-vous qu'une main pouvait éprouver du chagrin? Non, vous ne pouvez pas savoir ce genre de chose, chauve comme vous l'êtes, chauve partout, au dedans et au dehors.

L'animal qu'il était beau. Il était... mangeable.

Misery... La Soufrière de la Guadeloupe... La Montagne Pelée... Bagana.

Vous comprenez que je ne pouvais pas laisser se finir cette histoire comme toutes les autres. Je ne pouvais pas la laisser tomber dans le banal, laisser l'incandescence devenir une vulgaire chandelle éclairant péniblement au bout de sa mèche usée, au milieu de son amas de cire fondue, puis durcie, puis fondue à nouveau. Nous aurions vieilli. Il n'arrêtait pas de me crier: «mange-moi, mange-moi», quand le plaisir touchait à l'indicible et qu'il doutait de pouvoir remettre tous ses morceaux ensemble, de revenir à la vie après l'explosion. «Mange-moi, mange-moi», me disait-il. C'est ce que j'ai fait. J'ai réalisé son rêve et le mien aussi, puisque je ne pouvais plus me contenter qu'il vive à l'extérieur de moi. Je le voulais en moi au complet. Et maintenant, monsieur, je vais le digérer pour le reste de ma vie.

Ah... l'étendue infinie du plaisir. Ainsi, rien ne se perd qui ne se soit créé.

Ce texte a été créé sur scène en mai 1987 par Nicole Leblanc, lors de la «Soirée des murmures» à l'Espace Go.

JE NE T'AIME PAS assez.

Si je t'aimais assez, la terre tournerait rond et nous appartiendrait. Elle serait dans nos mains une pêche domptée; tellement rêche et juteuse et ambrée, que nous pourrions choisir de ne pas la manger.

Mais le désert est roi de chaque verre vide.

tzyn... Tiatia... Tarumai... Usu... Komagatake... Akita-Yake-Yama... Asama.

La marquée

Il y a des grues Caterpillar ou Pionneer. Il y a d'autres sortes de grues qui n'ont pas de marques de commerce, mais qui font quand même du commerce. Les deux font les trottoirs. Les unes ne sont pas péjoratives, les autres, oui.

Il y a des magnétophones Sony, d'autres, Hitachi. Il y a des aspirateurs Hoover, des pianos Steinway, des cuisinières qui s'appellent Bélanger, électriques ou en chair et en os. Il y a des automobiles Honda, Ford ou Renault. Il y a des téléviseurs Quasar, des briquets Dupont, des stylos Bic, des réfrigérateurs Frigidaire, des mouchoirs en papier Kleenex, des caméras Kodak.

Il y a des rasoirs Sunbeam, des téléphones Bell, des lunettes Christian Dior, des bandes magnétiques BASF, du papier Kraft, des disques Audiogram, de l'eau Naya, des cigarettes Du Maurier et des pilules Valium.

Chaque chose en son nom.

Chaque chose en sa marque.

On bague les oiseaux, on les compte, on les inventorie.

On étiquette les arbres, on les compte, on les inventorie.

On marque les orignaux, on les compte, on les inventorie.

Il y a des migrations, des feux de forêt et des saisons de chasse.

Je devrais pourtant, moi aussi, porter une marque: la tienne. Je cherche dans mes plis et replis, je m'aide d'un miroir pour regarder derrière. Je suis allée jusqu'aux Rayons-X pour voir en dedans. Rien. Rien du tout.

Elle est pourtant là, je la sens. Une espèce de tatouage indélébile. Rien de visible à l'œil nu ou à l'œil chaussé de lunettes spécialisées, grossissantes. Rien. Ce n'est certainement pas le genre de marque que fait graver sur O, Sir Stephen dans *Histoire d'O*. Je l'aurais sentie d'une autre manière, plus brutale. Je l'ai sentie pourtant. Ça m'a brûlée longtemps, ça brûle encore. Je ne sais pas encore si c'est le genre de brûlure qui consume en entier. Ça brûle lentement, confusément. Mon corps a été victime d'un incendie criminel.

Mais il devrait y avoir une marque, ta marque, celle que tu as mis tant de douceur à me faire, tant de gestes jamais pareils. Je me souviens: tu longeais mon corps, tu cherchais l'endroit où la poser. Je me souviens très très bien. Tu avais la manie de toujours confondre ma peau avec de la soie. J'avais beau te reprendre, te dire que j'étais bien faite avec de la peau, tu ne m'as jamais vraiment crue. Peut-être que les marques tiennent moins bien sur la soie que sur la peau? Je cherche. Je commanderai une expertise s'il le faut à un expert en marques. Mais les marqueurs ne courent pas les rues. Je mettrai beaucoup de temps à en trouver un compétent, qui saura déjouer ta subtilité, démêler le vrai du faux et découdre la soie juste au bon endroit.

Elle est là, c'est certain. Il n'y a pas de raison que tu ne m'aies pas laissé au moins ta marque avant de partir. Il n'y a pas de raison que je vive sans marque.

Il y a des chaudrons Le Creuset, il y a des bijoux Chaudron, il y a des livres Gallimard, il y a des poudres à récurer Ajax, il y a des jouets Tonka et Fisher-Price, il y a des chats Persans, il y a des chiens Andalous, des femmes Viragos, des hommes Gais, des filles seules, des enfants-magnétophones, des jeux de hasard, des chansons prises dans la gorge, des mots sans suite, des larmes sans mouchoir, des morves au nez, des cris sans son, des yeux hagards, des sexes inutiles, des peines d'amour.

Je n'ai même plus d'adjectif à me mettre.

Une fois

UNE FOIS, quand tu n'étais plus avec moi, je me suis caressée. Et quand j'ai joui, j'ai éclaté en sanglots. C'était à cause du vide qui venait de surgir de son trou.

Un trou dans un trou.

Rien.

Et c'est à cause de ce rien que je me suis levée. Je suis allée au lavabo me laver le visage et j'ai commencé à faire le grand ménage, en commençant par la cuisine, en commençant par le plus sale.

Mal des profondeurs

BLUES AMER des sons de vinaigre.

Blues long des plaintes enfermées, des sanglots de chat serti de crocs, déplumé, sauvage, définitif.

Blues ombré des mots qui refusent de parler sous la torture, qui ne plient pas, qui pleurent sec dans mon cou.

Je fais eau de toutes parts, je n'échappe pas au fiel. Je n'échappe pas aux colères qui sucent d'un coup la sève qui gicle en torrent de chaque branche coupée. Je n'échappe pas à la saignée. Je n'échappe pas au vacarme des amours en gare de triage, écorchées, qui pompent le vif à partir de chaque pore, de chaque trou où la mer en entier s'engouffre. Je n'échappe pas au déferlement des saveurs de varech qui montent à ma bouche. Je fais eau de toutes parts, fracassée sur un iris nègre. Je n'échappe pas au silence abandonné là, sans instructions, au milieu du tumulte de la peau.

Je n'échappe pas à l'ignorance des modes d'emploi.

Ticket

– Un pise aller s'il vous plaît.

– Un aller Pise?

– Non. Un Pise aller. Je ne veux pas revenir.

– Vous voulez dire un aller pour Pise?

– Pas tout à fait.

– Qu'est-ce que vous voulez à la fin?

– Un Pise aller parce que je n'ai pas mieux. C'est pourtant clair, non?

– Vous vous foutez de ma gueule?

– J'en serais désolée. Je veux un Pise aller. Je me demande si je peux avoir mieux en fait. Mais si vous refusez de me donner un Pise aller, je n'aurai rien. Et là, il n'y a pas mieux.

– Elle est folle. Au mieux, c'est un décrochage passager. Au pire, c'est congénital. Voulez-vous un Pise aller simple?

– C'est ça. Un Pise aller simple. Ça se compliquera bien en cours de route.

– 875 francs.

– Prenez-vous les chèques de voyage?

– Nous prenons tout.

– Moi aussi. Alors donnez. Merci.

Nous sommes d'ailleurs

Nous ne sommes pas de ce monde parce que ce monde ne veut pas de nous.

Qui est de ce monde?

Nous sommes d'ailleurs, de là où les chants se chantaient sur des airs alanguis, mélopées moites où poussaient des halos en fleurs aux têtes des gens aimés. L'occulte répondait à l'occulte avec ses mots de glaise et d'os. La lumière répondait à la lumière avec ses mots de miroir ouvert. Et de l'un à l'autre, le passage était large et achalandé. On y passait, on s'y croisait, on pouvait même s'y arrêter pour parler de tout et de rien.

C'était comme ça.

Entre l'occulte et la lumière.

Nous sommes d'ailleurs, de là où les mots se mangeaient et se dégustaient à petites bouchées, à petits morceaux fins, à petites lampées quand ils étaient liquides. Ils étaient parfois secs et croquants, parfois mous et humides. Parfois les deux: secs au dehors et humides au dedans. Il y avait de la texture, ailleurs, d'où nous sommes. Il y avait aussi des fruits de la passion qui se greffaient aux pieds des tables, sous la main, quand le soleil était à un certain point dans le ciel, dans une saison qui correspondrait peut-être à l'été. Mais les saisons n'étaient pas arraisonnées, là d'où nous sommes. Il pouvait y avoir un morceau de glace au beau milieu d'un parterre de coquelicots. Ce n'était pas un drame. La glace ne fondait pas si elle ne le voulait pas, et les coquelicots restaient rouges sans être brûlés de froid s'ils avaient décidé de ne pas prendre contact avec la glace. On pouvait alors choisir ce genre de chose.

C'était comme ça, ailleurs.

D'où ce monde où nous tentons d'être ne vient pas.

Son sexe est mort.

Rencontre à l'heure bleue

SON TURBAN BLEU inspiré océan est piqué de restants d'étoiles de mer qui se souviennent de leur ancienne gloire de reines des abysses. La femme hésite depuis un moment à traverser un des bras épais de la Place Denfert-Rochereau. Elle n'a aucune confiance en ses jambes. Ça se voit. Je la sens prendre une grande inspiration comme on prend appui et foncer droit devant, dans une avalanche de pas petits mais pressés.

Elle est toujours pressée.

Je l'observe depuis quelques mois déjà, assise devant un grand crème au «Lion de Belfort», derrière la vitrine qui donne sur le fauve figé au milieu de la Place. Je viens passer là toutes les heures bleues. Les unes après les autres. Quand je ne fais pas l'amour, je bois du café. C'est comme ça. Ou alors je fais une sieste.

Quand j'ai connu cette femme avec mes yeux, je ne me suis plus séparée de mon appareil-photo enflé de son téléobjectif. C'est comme ça. Elle m'a donné envie de la capter. Je ne sais pas pourquoi, elle me fascine. Elle sort presque chaque jour à la même heure que moi, comme si nous avions un rendez-vous strict. Elle est stricte, engoncée dans des vêtements pas très beaux, mais toujours maquillée. Une ancienne prostituée, je crois. De loin, même sans mon téléobjectif, je peux voir la tache rouge de sa bouche et les taches mouvantes au bout de ses doigts, petites gouttes de sang qui coulent au milieu de ses gestes secs. Une ancienne prostituée, ou une vieille fille. Je ne crois pas, de loin, qu'elle pourrait être autre chose.

Elle marche le corps droit, l'âge n'ayant pas trop figé le cou ni arrondi les épaules. Parce qu'elle est vieille. Très vieille. Difficile de donner un âge à partir de la sorte de rides. Certains enfants sont ridés. J'ai fait des gros plans. Ses rides à elle sont fines. Elles n'entrent pas en conflit les unes avec les autres comme ça se voit chez d'autres vieillards. Elles ne sont pas non plus creusées comme des sillons ouverts, impudiques, des coups de lame de rasoir donnés par un sadique qui ne saurait pas que la peau est quelque chose d'aussi délicat et que des ongles auraient suffi. Ou le temps seul. Un sadique pressé. Non. Ses rides à elle sont des cheveux qu'un enfant naissant aurait perdus dans un coup de vent, et qui se seraient parsemés tout seuls sur sa peau. Ses rides sont comme ça. Elles ne sont venues que pour adoucir sa peau davantage, si ça se peut.

Aujourd'hui, son turban est bleu. Mais ça dépend des jours. Elle en a toute une collection. Je vois ses cheveux au milieu, ils sont bruns. Teints sans doute. Au soleil, parfois, j'arrive à saisir quelques fils blancs. Mais je les imagine peut-être. Mes yeux sont la partie de moi qui a le plus d'imagination, je dois leur accorder ça. Je les laisse faire. Ils ne font de mal à personne.

Ses yeux sont comme des larmes de son turban, ce jour-là. Une brune aux yeux bleus. Une beauté.

Certains jours, elle sort accompagnée d'une femme assez jeune qui la tient par le bras délicatement. J'en suis jalouse. Sa fille sans doute. La fille d'un client qu'elle a dû mettre en nourrice pendant tout le temps qu'elle écumait la rue Saint-Denis. Qu'est-ce que je dis, la rue Saint-Denis. Elle avait certainement plus de classe. Sinon elle ne se serait pas retirée à Montparnasse sur ses vieux jours. Une putain qui lit et qui comprend la guerre Iran-Irak assurément. Ou si c'est une vieille fille, c'est peut-être sa nièce. Mais j'en doute. Une nièce aussi amoureuse, c'est rare. En tout cas, je n'en ai jamais photographié.

Je pourrais la suivre si je voulais. Je la vois toujours disparaître derrière, là-bas, du côté de la petite rue Schœlcher qui longe le cimetière. Aurait-elle choisi d'habiter à l'ombre d'un cimetière? Ce n'est pas son genre. Elle est tellement vivante, là, pas très grande, rapide, vivace. Une immortelle ou un edelweiss qui traverse les glaces, son petit sac serré contre elle. Je crois même qu'il est accroché à son cou. Mais je ne vois pas la bandoulière, cachée sous son manteau de drap qui grimpe jusqu'au menton. Il y a eu des tas d'attentats contre les vieux dans le quartier. Un jour, elle a disparu pendant dix jours. C'est ça, elle s'est fait attaquer. J'ai des photos d'elle avec un pansement blanc qui vient se perdre sous son turban vert. Oui, vert ce jour-là. Ça m'avait frappée. Je m'étais dit alors qu'elle avait dû tomber dans l'escalier. Qu'il devait bien y avoir un escalier dans sa vie. Il y en a toujours. Et quand on est vieux, les escaliers sont des pièges à ours, comme la glace ou les crevasses dans les trottoirs. La ville devient une jungle, et il faudrait une machette pour y circuler à son aise tant il y a de lianes et de pièges qui font trébucher. Un calvaire. J'y pense parfois, pour moi. Je sais que les jambes deviennent des chiffes molles et qu'on se demande soudain où les os sont passés. Les muscles en coton, les os infidèles, alors il faut être vigilant. Elle doit être distraite. Elle doit oublier parfois qu'elle est vieille et là, c'est l'attentat automatique. Qu'il vienne d'une main ou d'une crevasse, c'est du terrorisme.

Je voudrais lui tenir le bras tout le temps. Remplacer ses jambes, lui redonner ses os. Je voudrais la faire rire aussi. Il me semble que c'est une femme qui a beaucoup ri. Ça se voit. Et le pire, c'est qu'elle doit continuer, insolente, impudique. Le rire dans les rides a un petit côté profanateur je trouve. Elle n'est pas du genre à se faire bronzer à la vapeur de camomille sur la Promenade des Anglais à Nice. Un mouroir. Elle se promène à Paris, dans la vie.

Je la regarde vivre dans le miroir complexe de mon appareil-photo et je veux la garder pour moi seule. Je ne vis pas dans l'illusion, je sais qu'elle n'est pas faite pour la photographie. Alors nous ne vivrons jamais ensemble. Je voudrais seulement que mes doigts puissent tuer la perspective, annuler toute distance et passer au travers du verre épais de l'objectif pour la toucher. Mes yeux glissent sur elle. Sur sa peau douce. Je la caresse des yeux et mes mains sont inutiles, pétrifiées. Sur les photos, elle ne me regarde pas. Ses yeux contemplent la vie, la rue qui grouille de ses fourmis. Elle est une tamanoir qui les avale toutes. Je voudrais savoir ce qu'elle fait de toutes ses visions, de tout ce qui l'avale.

❑

14 avril 1986.

Aujourd'hui, à la radio, j'ai entendu qu'une femme célèbre était morte. Elle avait 78 ans, ont-ils dit. Elle avait écrit des tas de livres. J'ai su tout de suite que c'était elle, à cause de l'intime entre nous. J'avais raison, elle habitait rue Schœlcher. Je me suis levée et j'ai brûlé toutes ses photos, par respect pour sa mémoire.

C'est mon anniversaire. J'ai 34 ans. Mais moi je ne lis jamais, je prends des photos. C'est comme ça. Je n'irai plus au «Lion de Belfort» sans elle. Dorénavant, à l'heure bleue, j'écrirai. Ou je ferai une sieste. Ou je ferai l'amour. Et un jour j'irai peut-être à la Fnac chercher ses bouquins. Mais c'est une grosse décision. J'ai besoin de temps.

En attendant, j'ai découpé un article, un seul, avec une photo d'elle prise par quelqu'un d'autre. Je le garderai.

La passion selon Simone de Beauvoir

On dira d'elle qu'elle est morte, qu'elle est décédée, qu'elle n'est plus. On dira ça. Mais il ne faudra pas le croire. On a déjà dit tellement de choses à son sujet, un qualificatif de plus ou de moins ne fait aucune différence. On fera comme elle, on s'en foutra. Et on boira un verre quelque part avec des amies chères, comme elle. On oubliera les ragots, les surnoms, «Notre-Dame-de-Sartre», «la grande Sartreuse», «une horloge dans un frigidaire», et on ne se souviendra que de l'amour, que de la passion, que des rires et des discussions âpres.

Âpres... un mot qu'elle aime, qu'elle a utilisé souvent. Ça me revient en l'écrivant. Un mot qui ressemble à sa voix rugueuse, râpée, parce que les mots passaient trop vite de son esprit à sa bouche. Ils étaient précis, tranchants, et n'avaient pas le temps de sabler les cordes vocales. Ils écorchaient au passage. Et j'aimais ça. Je voyais de fins cailloux anguleux qui balisaient mon parcours et celui de bien d'autres, avant et après moi. Et j'aimais ça. J'aimais qu'ils deviennent phosphorescents dans la nuit, quand elle était trop noire et qu'on n'était pas sûres que le jour allait pouvoir se lever à nouveau. Il y a des nuits comme ça. On en connaît toutes. Simone de Beauvoir le savait aussi, et c'est pour ça qu'elle a écrit des livres. Contre la nuit noire qui reniait la Lune, qui essayait de l'annuler. Simone de Beauvoir nous a donné la Lune. Je crois que c'est ça qu'elle a essayé de faire. Et je me suis dit un jour qu'en dessous de cette exigence, il ne fallait rien tenter.

Cette dernière phrase emportée me fait penser à Violette Leduc: «Je suis venue au monde, j'ai fait le serment d'avoir la passion de l'impossible.» Violette Leduc, que Simone de Beauvoir a poussée vers l'écriture qui la possédait. Elle l'a aidée à dompter la créature. Elle lui a répété sans relâche à quel point son écriture la touchait, elle l'a présentée à son éditeur, lui a offert de préfacer *La bâtarde*. Et Violette Leduc a écrit, publié. Simone de Beauvoir ne lui a pas donné l'écriture, elle lui a montré *son* écriture. Et l'écriture s'est abandonnée tout entière entre les mains de Violette Leduc. Simone de Beauvoir aura été la subtile entremetteuse, celle qui *savait*. C'est un exemple.

Elle a toujours su beaucoup de choses: chaque fois elle s'est empressée de nous les faire savoir. Elle donnait l'impression de ne rien garder pour elle seule. Que tout ce qu'elle apprenait pouvait servir à tout le monde. C'est l'impression qu'elle donnait. Mais elle devait bien avoir sa zone d'ombre, ce lieu où le flou se colle aux parois intérieures comme une colonie de sangsues avides et qui nous rappelle à l'ordre au beau milieu d'un accès de rationalité. Vous voyez ce que je veux dire. Ce lieu exsangue qui doit ressembler aux limbes de notre enfance. Elle nous a caché ce lieu, mais elle y allait, j'en suis sûre. Elle nous a parlé de son lien avec Sartre, mais jusqu'à un certain point. Elle nous a bien prévenues d'ailleurs dans la préface de *La force de l'âge*, où elle dit quelque chose comme: «Je ne vais pas tout vous dire. Et de ma relation avec Sartre, vous ne saurez que ce que je veux bien vous en dire.» Ce n'est pas la citation exacte. Je ne veux surtout pas passer pour une spécialiste de Simone de Beauvoir. J'ai voulu écrire sur elle avec ma mémoire seule. J'invente peut-être. J'interprète sûrement. Elle ne serait pas fière de moi, elle qui travaillait avec la rigueur d'une archéologue quand elle soulevait les strates de la condition féminine à travers les temps dans *Le deuxième sexe*, ou de l'âge dans *La vieillesse*. Tous ses livres sont près de moi. Je pourrais ouvrir *La force de l'âge* et vous servir la citation exacte. Non. Je veux me souvenir d'elle par (le) cœur. Il s'agit d'une histoire d'amour, pas d'une thèse universitaire. Simone de Beauvoir, elle, était agrégée de philosophie à 21 ans. Moi, je n'y suis pas allée à l'université, comme Violette Leduc. Je ne m'en vante pas, j'essaie d'expliquer pourquoi je serais totalement incapable d'écrire une thèse, et pourquoi la rigueur de Simone de Beauvoir m'a toujours fascinée.

Quand je suis entrée dans *Les mémoires d'une jeune fille rangée*, à vingt ans, personne ne m'avait prévenue que ma vie allait changer. J'ai mis du temps à me remettre du choc à cause de ça. Je ne me souviens plus d'ailleurs pourquoi j'ai lu ce livre à ce moment-là. Probablement parce que j'en avais besoin. Elle était toujours là quand on avait besoin d'elle. C'était une autre de ses qualités. Elle devait bien avoir des défauts. Mais il faut drôlement bien connaître quelqu'un pour parler de ses défauts. Ce qui n'était pas mon cas. Je ne la connaissais qu'à travers ses livres, six mois de travail intense pour préparer une entrevue avec elle, une courte lettre, deux téléphones brefs et deux heures de rencontre où j'ai pu vérifier que la femme que j'avais lue était la même que celle qui répondait à mes questions en cette fin de journée de fin décembre 1983.

J'ai bien sûr gardé son petit mot précieusement, sa voix éraillée dans mes oreilles, son fin visage de chat aux yeux de Chine ainsi que son regard bleu nuit dans mes yeux. J'ai tout gardé. Y compris la douceur et la finesse de sa peau et la vigueur de ses gestes.

Alors si moi j'ai gardé tout ça d'elle en moi, si chacune d'entre vous qui lisez ce texte avez gardé en vous une phrase, un mot, une action qu'elle a faite qui vous a impressionnée, un ou plusieurs de ses livres dans votre bibliothèque, une discussion à son sujet ou simplement, une envie d'elle et de sa passion dévorante pour la vie, et si on se met à plusieurs pour le dire à voix haute, il est rigoureusement impossible – et nous le prouverons – que Simone de Beauvoir soit morte.

N.B. Chaque fois que le féminin est employé seul, il inclut bien sûr le masculin.

(*Le Soleil de Québec*, le samedi 19 avril 1986.)

Peur de la mémoire

J'AI PEUR DES VIEUX qu'on laisse dormir seuls dans des taudis avec une cigarette mal éteinte et qui brûlent vite, comme du bois sec, en entraînant des voisins avec eux.

J'ai peur des vieux qu'on écrase dans les rues parce qu'ils vont moins vite que les autos et que, parfois, leurs oreilles qui en ont trop entendu ne les entendent pas venir.

J'ai peur des vieux qui n'ont pas faim parce qu'ils n'ont pas d'argent.

J'ai peur des vieux qui meurent d'ennui.

J'ai peur des vieux qui meurent de froid.

J'ai peur des vieux qui meurent en plein été et qu'on découvre une semaine plus tard parce que l'odeur est plus insupportable pour les autres que l'exil forcé dans lequel ils meurent.

J'ai peur des vieux qui meurent seuls.

J'ai peur des vieux qui préfèrent leur petit monde à notre monde qui les entoure sans les entourer, parce que notre monde n'a plus de bras, n'a plus de mains.

J'ai peur des vieux qui accumulent leurs déchets dans leur cuisine, au troisième étage, au lieu de les descendre à la rue, parce que les employés des services de désinfection ont trop d'ouvrage quand ils les trouvent, et que ce n'est pas agréable pour quelqu'un qui aime la vie de voir des photos de ça à la une des journaux en kiosque parce que le reporter du *Journal de Montréal* était sur les lieux.

J'ai peur des vieux qui ne voient plus personne et que plus personne ne voit. Qui ne fréquentent plus personne et que plus personne ne fréquente.

J'ai peur des vieux qui se souviennent.

J'ai peur des vieux qui vieillissent maintenant, qu'on met en quarantaine comme si la vieillesse était une maladie qui s'attrape, alors qu'ils ont souvent deux fois la quarantaine.

J'ai peur des vieux dont on se sert pour régler la crise de la construction en transformant des parkings en poulaillers pour parquer leur grand âge, leurs mains qui tremblent et leurs maladies nécessairement honteuses.

J'ai peur des vieux dont on se sert pour faire de la chair à statistiques.

On dit qu'il y a trois sortes de mensonges: les petits mensonges, les gros mensonges et les statistiques. Je fais actuellement partie de plusieurs sortes de statistiques: comme femme, célibataire, sans enfants, travailleuse autonome, écrivaine, porteuse de lunettes, consommatrice culturelle, etc. Que vais-je devenir quand je ne ferai plus partie que des statistiques qui étudient les vieux?

C'est pour ça que j'ai peur des vieux.

En fait, j'ai peur pour eux et pour nous qui avons dix ans, vingt ans, trente ans, quarante ans, cinquante ans. Nous qui avons une espérance de vie de plus en plus grande, selon les statistiques.

Quelle drôle d'expression quand même: espérance de vie...

Le monde est lourd. Je le porte comme une chevelure de béton. Comment voulez-vous que je puisse vous donner la lune?

L'art de la gigue

NOUS AURONS ÉTÉ, à chaque repli de mémoire, les danseurs mutilés d'une idée difficile. Quand nous n'avions pas les reins cambrés, quand on nous tirait dans les jambes: on a appelé ça une gigue.

Nous aurons été, à chaque parole arrachée, les choristes d'un chœur engourdi, dans le ventre grégorien. Quand nous étions aphones, quand nous n'étions pas musiciens.

Que de pièges à faire claquer dans le vide, crocs sur crocs, quand on refuse d'être la proie. Que de cris à sortir du formol rassurant de la liberté à désirer.

Nous aurons été homoncules et fourmis, résignés à passer sous le pied, à croquer sous la dent.

L'espoir, c'est la camisole de force qu'on m'enfile à coup de décrets et que, patiemment, je détricote avec mes dents.

Lettre à Rose Rose

Saint-Zénon, P.Q., 8 octobre 1990

Chère Rose Rose,

Je ne sais pas où vous êtes en ce moment, je vous écris dans le vide. Les boîtes à malle ne sautent plus sur le coin des rues, mais le courrier se rend mal, surtout entre les hommes et les femmes. J'ai failli écrire une chanson sur vous à cause des vingt ans de la crise d'octobre cette année. Je n'ai pas osé. Déjà que votre double nom de fleur fait rêver, en autant qu'on sache que vous n'avez jamais été à la merci du premier sécateur venu. Vous étiez nommée d'avance comme un personnage de roman. Et quand j'ai appris que votre vrai nom était Rose Doré Rose, je me suis dit que vous étiez forcément une femme de couleur, Rose Doré Rose.

Une femme de couleur.

Vous êtes partie en 1981, l'année des taux hypothécaires à 20%. Les journaux ont annoncé la flambée des taux d'intérêt. On s'en fout des taux d'intérêt, n'est-ce pas Rose Rose? Les femmes sont hypothéquées au coton de naissance et payent des intérêts à taux usuraire pour le reste de leur vie. On n'a jamais eu besoin des banques pour sentir dans nos corps la flambée des intérêts à payer sur un capital qui ne nous appartient pas. On vient au monde incendiées et on passe nos vies à éteindre des feux partout. C'est bête.

Des feux partout.

Depuis votre départ, certains hommes sont toujours aussi fats, Rose Rose. Souvent, ils pérorent au lieu de parler. Ça n'a pas changé. Ils sont toujours premiers ministres ou présidents un peu partout, et ils sont en train d'étudier la constitution sans nous. Pourtant, les femmes sont une nation, Rose Rose. Les Indiens disent que la Terre est une Femme. C'est irréfutable. La preuve, on la viole. Je ne suis même plus capable de quitter mon mari sans me faire tuer en grand nombre, parfois avec tous mes enfants. C'est mieux comme ça. Je m'en vais avec eux, telle était mon intention. Les journaux annoncent une escalade de drames conjugaux.

Une escalade.

À la fin de 1989, un homme jeune a tué quatorze d'entre nous dans une école. Ça va faire un an bientôt. Elles ont été fauchées par le premier sécateur venu qui n'avait su enregistrer que la misogynie sourde et ambiante dans son canal à vif. Ce n'est pas sa faute, il y a trop d'interférences. Il était un amputé qui pleure son membre absent. Ce jour-là, Rose Rose, j'ai décidé d'apprendre par cœur le nom de tous les volcans, comme un mantra, pour que le pus sorte de la Terre et qu'elle guérisse. Nos doigts ne seront jamais assez gros pour crever les volcans comme des boutons.

De simples boutons.

Depuis le 6 décembre 1989, ils continuent de vendre des mitraillettes dans les magasins, au coin des rues. Les journaux ont annoncé que les Indiens avaient un arsenal. On les a vus à la télévision, armés comme les gars de l'armée. Ils nous étalent sans pudeur la beauté de leurs armes aimées, bien frottées, sans penser qu'ils nous écœurent jusqu'aux tréfonds de nos vies. Ils pensent peut-être qu'on mouille quand ils se déguisent tous en Warriors, Indiens ou Blancs. Nous serons le ver dans leur fruit, Rose Rose. Et avec leur violence, nous ferons du compost.

Du compost, Rose Rose.

Cette année, un Indien est entré dans l'Histoire du Canada en disant «non». Il s'appelle Elijah Harper. Mais les «non» des femmes restent toujours des denrées périssables. Certains types d'oreilles, atteintes de malformation génétique millénaire, ne les entendent pas. Et les «non» pourrissent dans les bouches des femmes pendant que leurs corps sont massacrés de diverses façons, parfois légalement. Avant, les femmes n'avaient pas plus de droits que les Indiens dans le code civil. Alors si les «non» des Indiens se mettent à avoir du poids, on peut espérer que les «non» des femmes prendront aussi de la valeur un jour. Malheureusement, pour voter une loi comme celle sur l'avortement, on n'exige que la majorité et non pas l'unanimité. Imaginez, Rose Rose, une seule députée dire «non» tranquillement, sans violence, à tout débat, à toute question, à tout compromis, à tout amendement à une loi sur l'avortement et en empêcher l'adoption, comme Elijah Harper l'a fait pour l'Accord du Lac Meech, appuyé par tous ses frères et sœurs. Le rêve, Rose Rose! Mais nous n'en sommes pas là. Nous n'avons jamais eu le sens des barricades, à part Madeleine de Verchères, Carcasse et Louise Michel, à ma connaissance. Mais nous savons tricoter bien serré quand il fait trop froid.

Trop froid.

Dans les annonces classées du journal *Voir* de la semaine dernière, sous la rubrique «Antiquités», il y avait deux totems à vendre. La crise amérindienne est bel et bien terminée. Dans un autre journal, c'était marqué que un pour cent des Québécois avait du sang amérindien dans leurs veines. Mais le journaliste s'était trompé. Il y a un pour cent de sang amérindien, en moyenne, dans chaque Québécois. Peu de gens ont vu la correction, apportée un autre jour par le spécialiste qui sait calculer le pourcentage du sang dans nos veines.

Du sang dans nos veines.

Les femmes sont une nation, Rose Rose. Elles ont 50% de sang de femme dans leurs veines. Les hommes aussi, mais cette information capitale est tombée dans leur amnésie. Les Indiens disent que les femmes voient jusqu'à la septième génération. C'est beau. C'est pour ça qu'elles nomment les chefs de tribus. Que voyais-tu, Rose Rose, quand tu as reconnu à l'odeur, devant le juge Jacques Trahan, le chandail de ton fils Paul retrouvé sur le ministre Pierre Laporte mort? Tu as dit que ça ne pouvait pas être le chandail de Jacques, parce qu'il ne sentait pas l'essence et que tous les vêtements de Jacques sentent l'essence. Tu connais bien tes fils, Rose Rose.

Bien tes fils.

Tu vois, sans y penser, je me suis mise à te tutoyer. Peut-être pour me rapprocher de toi.

De toi.

Jusqu'où voyais-tu, Rose Rose, quand tu as reconnu, en pleurant, devant le juge Jacques Trahan, le couvre-pieds que tu avais tricoté et qu'on a retrouvé sous le cadavre de Pierre Laporte? Jusqu'où voyais-tu? Je ne sais pas. Tu étais petite, tu portais une robe noire et des lunettes. C'était écrit dans le journal. J'avais 18 ans et je n'ai pas eu d'enfants. Tu avais 50 ans, Rose Rose, tu avais deux fils et trois filles.

Trois filles.

La vie est toujours bien plus belle dans nos cœurs, Rose Rose. Ça n'a pas changé depuis ton départ. Dans nos cœurs, on vote contre une loi et ça marche. Dans nos cœurs, on vit des histoires d'amour bien plus belles que les luttes de pouvoir qui finissent parfois en faits divers. Dans nos cœurs, personne ne *crosse* personne, les exploiteurs, les violeurs, les intrigants, les violents, les imbéciles, les politiciens véreux, Pierre Elliott Trudeau et les pollueurs sont toujours punis. Dans nos cœurs, les bons gagnent toujours. Notre cœur est un *happy end* qui s'est trompé de société. Notre cœur est un mauvais film américain.

Un mauvais film.

Dans nos cœurs, il n'y a pas de différences notables entre les gens, en dehors du fait que certains d'entre nous ont des aortes ou des ventricules bouchés, et qu'ils perdent le souffle en montant des étages sans ascenseur. Tous les cœurs sont d'un beau rouge vif, Rose Rose. Ils saignent.

D'un beau rouge vif.

Quand j'étais petite, Michel le Magicien faisait tous ses tours de magie avec l'aide de la mystérieuse poudre de perlimpinpin. Il réussissait à faire sortir de son chapeau claque des lapins ou autre chose. Mais c'était toujours quelque chose de beau. Il n'y a plus de Michel le Magicien nulle part, Rose Rose. Nous en aurions bien besoin en ce moment.

Bien besoin.

À plus tard, Rose Doré Rose.

À plus tard.

Vivre

1. La blessure

La petite fille apprend jeune à distiller les informations qu'elle possède. Elle saupoudre seulement quand ça manque de sel et de poivre. Jamais autrement. Par exemple, elle cache à tout le monde qu'elle est née d'une blessure et que la blessure ne s'est jamais cicatrisée. On peut vivre quand même. Des pays entiers sont construits sur des failles géologiques. La petite fille se voit accrochée aux parois de la blessure qui s'éloignent lentement l'une de l'autre – comme aux États-Unis où une faille célèbre déchire la Californie – et personne ne lui lance une corde. Les autres croient que ses doigts sont des serres serties de griffes acérées et qu'elle peut tenir ainsi seule, facilement, jusqu'à sa mort. S'ils lui lancent une corde, ils croient qu'elle va venir aussitôt les lacérer. La petite fille aime les légendes mais ne supporte pas d'y être enfermée. Les autres attendent qu'elle tombe de haut avec une lueur vive dans les yeux, comme au cirque. La petite fille n'est pas responsable de leurs croyances. Oiseau de proie ou acrobate, ils ne savent pas qu'elle est en train de mourir.

2. Le grand-père

Son grand-père a fait ça avant elle, mourir. Déjà, il est aveugle. Sur ses yeux, il y a de la peau en trop. Quand il vient en visite, la mère de la petite fille lui met une corde, de son lit aux toilettes, de jour et de nuit. Il y a tant de nouveaux pièges, même pour aller pisser. La petite fille est fière d'avoir un grand-père si différent des autres, fière de cette corde qui traverse le grand corridor de l'appartement et entre dans la chambre où le petit grand-père dort dans sa nuit avec sa grosse moustache blanche. C'est comme un jeu en vrai. Elle en parle, dehors, à ses amies, et le jeu devient une légende. La petite fille aime que des mots simples comme «grand-père» et «corde» se changent en mystères dans les oreilles des autres. En réalité, la corde est une liane amie dans une jungle menaçante pleine de fauves assassins à la gueule ouverte. Les cannibales ont creusé de terribles fosses et mis des pieux pointus enduits de curare au fond. Mais rien n'y paraît puisqu'ils ont placé des branches et des grandes feuilles de palmiers sur le trou pour que les proies croient le sentier sans danger. La petite fille croit dur comme fer à son histoire. Mais elle ne parle jamais de la jungle et des pièges à ses amies pour ne pas jeter d'effroi additionnel sur le mystère, qui en contient déjà sa part. Déjà, le petit homme ne parle pas du tout la même langue. Aussi bien dire qu'il est muet et que les autres sont sourds puisqu'il ne se fait pas tellement comprendre. Ajouter une langue incompréhensible à la corde et à la peau sur les yeux aurait été trop pour ses amies de la rue Montfort.

La petite fille a neuf ans. Jusque-là, elle n'a en tête que de drôles d'images tendres sur son grand-père. Il y a sa moustache blanche toujours auréolée d'orange parce qu'il mange des pâtes sans voir la sauce qui l'éclabousse. Il y a sa voix de terre sèche où l'excès de soleil dur a fait pousser des roches qui déboulent en avalanche dans sa langue. Il y a ses pantalons trop grands tenus par des bretelles trop larges sur un maillot de corps à boutons d'où dépassent quelques poils blancs. Une image de pantoufles qui frottent le plancher lui revient aussi, avec ce geste qu'il a de tendre ses mains aveugles devant lui pour prendre dans ses bras la petite fille qui court dans la cuisine autour de la chaise berceuse, sa résidence principale. Il la berce en lui racontant des histoires qu'elle ne comprend pas mais qui la font rire parce qu'elle ne les comprend pas. Il la touche au visage pour la reconnaître mais il ne voit pas toujours bien et la petite fille rit encore plus. Le grand-père touche comme s'il était resté un enfant. Il rit lui aussi, en sortant des tréfonds de sa poche une vieille piasse toute froissée qu'il cache comme un secret dans la main de la petite fille. Elle se souvient bien qu'il rit, d'un rire aussi râpé que sa voix, et qu'il parle fort au téléphone, avec ses amis qui parlent comme lui. La petite fille ne sait pas encore que ses images bien en chair peuvent devenir aisément des souvenirs boiteux. Elle ne connaît pas la mort.

Ce juillet-là, il fait très chaud. Un soleil dur et blanc répand sa lave de métal brûlant. Dociles, les gens suivent l'ombre à mesure qu'elle bouge. Un temps de soif et de silence accablé. La petite fille arrive en autobus chez son grand-père. Cette fois, la famille est partie très vite en oubliant des choses. On vient voir le grand-père qui est mort. La petite fille n'a aucune image disponible sur cette nouvelle chose qui vient d'arriver à son grand-père. Elle attend de voir. La première chose, c'est un matelas sans draps, debout, couvert de sang, dans la cour. Ils n'auraient jamais dû le mettre là. La chaleur

attire toutes les mouches du village, ça n'est pas hygié-
nique. La chaleur empêche la petite fille de chasser
l'image du matelas qui devient elle-même une mouche
collante. Elle devine que ça doit être le matelas de son
grand-père, mais pourquoi l'ont-ils mis aux vidanges? Il
faut bien qu'il dorme. Il lui reste sa chaise berceuse où il
faisait déjà sa sieste l'après-midi. Peut-être qu'ils lui ont
acheté un matelas neuf parce que quelqu'un a répandu
du sang dessus sans le faire exprès? La petite fille manque d'air. Son cœur lui fait mal. La chaleur, sans doute.
Elle tient la main de quelqu'un. Ils entrent dans la maison mais le grand-père n'est pas là. C'est la première fois
qu'il n'est pas là. Elle n'ose pas demander où il est, ni
pourquoi il y a du sang sur le matelas, dehors. Elle fait
comme si elle n'avait rien vu, ça marche à tout coup.
Tout le monde sait combien elle est distraite, toujours le
nez dans un livre.

Le film saute comme dans le vieux projecteur de
son père où vivent Abbott et Costello. Les souvenirs col-
lés restent pris dans le mécanisme. La chaleur, sans
doute. L'image d'après, elle est dans un drôle d'endroit
plein de gens avec du tapis qui étouffe les bruits. Le
tapis ne sert pas à grand-chose, les gens parlent déjà tout
bas. C'est ça le plus angoissant. Dans sa famille, d'habitude, tout le monde parle aussi fort que le grand-père au
téléphone. On lui dit que son grand-père est là. Mais
pourquoi tout le monde est-il venu en même temps? Il y
a trop de gens et la petite fille est trop petite. Elle ne voit
son grand-père nulle part. Où peut-il bien être? Est-ce
qu'on lui a mis une corde dans ce nouvel endroit pour
qu'il puisse trouver les toilettes? Quelqu'un y a-t-il
pensé? Ils parlent tout bas, mais ils sont bien agités. Ils
ont pu oublier la corde: un détail pour eux, une main
amie pour lui. C'est ça. Ils ont oublié la corde et sa mère
vient de s'en rendre compte parce qu'elle pleure.

Entre les gens, la petite fille voit une boîte avec quelqu'un dedans. Elle est curieuse. Elle voit un vieil homme au visage maigre, les yeux fermés et les mains jointes sur son bel habit noir. Il prie. Elle n'a jamais vu quelqu'un prier autant. Sur la boîte, il y a une belle photo de son grand-père. Elle regarde le visage de l'homme. Elle regarde la photo. Elle regarde le visage de l'homme qui n'a pas de moustache blanche avec du jaune orange. Heureusement, c'est un autre. Elle regarde la photo. Son grand-père n'a jamais besoin de fermer ses yeux puisqu'il est aveugle. Si c'était lui qui dormait là, il aurait les yeux ouverts. Elle regarde le visage de l'homme. C'est un autre, mais qui?

– Regarde comme il est beau grand-papa, dit sa mère. Il est au ciel maintenant.

Grand-papa. Si sa mère se trompe autant, c'est qu'il doit être arrivé quelque chose de très grave. Sa mère ne se trompe jamais. Son grand-père ne peut pas être reparti dans son pays, c'est impossible.

– Mais ils n'auraient pas dû lui couper sa moustache, ajoute sa mère qui a toujours raison.

Des hommes ont déménagé la boîte dans une auto noire. Le temps a dû s'arrêter en cours de route parce que la petite fille ne le trouve plus. Elle est seule, sans temps, au bord du trou qui a l'air d'attendre que le prêtre finisse de parler en latin pour avaler la boîte. Il y a de grosses courroies autour de la boîte, qui ressemblent à la courroie de cuir épais qui sert à aiguiser le rasoir de son grand-père. Aux quatre coins, il y a des poteaux en or massif qui luisent au soleil. Il y a un gros arbre pas loin du trou et il fait terriblement chaud. À côté du trou, il y a une grosse motte de terre. La petite fille ne sent strictement rien sauf le froid qui vient du fond de la terre qu'ils ont creusée. Ils ont creusé trop creux et ils sont arrivés à la glace. Elle frissonne. Elle doit être trop proche du trou. Ils ont fermé le couvercle de la boîte et elle se demande seulement s'ils n'auraient pas oublié son grand-père dedans, sans corde.

Le prêtre a fini de parler et de jeter de l'eau sur la boîte. Le silence flotte en brume lourde et collante, un oiseau crie. Un homme tourne une poignée qui grince aussi fort que l'oiseau pendant que les courroies laissent s'enfoncer la boîte dans le trou. Des notes suraiguës crèvent le tympan. Personne ne bouge. Personne ne fait cesser ce bruit d'ongle sur tableau noir. Ils ne vont pas laisser faire ça? Elle remarque soudain une pelle dans la motte de terre. Ils ne vont pas laisser enterrer la boîte avec son grand-père dedans? Ils sont fous. Et lui qui se laisse faire. La petite fille va sauver son grand-père.

– Grand-papa, réveille-toi! Viens-t'en...

La petite fille veut se jeter dans le trou. Quelqu'un la saisit. Elle se battra jusqu'à ce que le bruit cesse, jusqu'à ce que grand-papa revienne du trou. Ses cris de mort mettent en lambeaux tous les gens en noir. Elle ne savait pas qu'elle avait aussi long de cri en elle. Elle hurle à la mort qu'elle ne peut pas griffer parce qu'elle ne sait pas où elle est ni à quoi elle ressemble. De son grand-père, il ne lui reste que l'image épuisée d'un vieil homme aux joues creuses imprimée sur un matelas inondé de sang et de mouches. Elle ne voit plus que ça. La photo s'imprime à vif sur sa rétine comme une peau en trop. Elle ne voit plus. Son oiseau de proie ouvre son bec coupant, les serres agrippées à la boîte fermée. On vient de lui voler son petit.

Quelqu'un traîne la petite fille loin du trou et l'assoit dans une voiture vide en attendant les autres. On dirait qu'elle pleure d'avance toute la vie qui s'en vient.

3. J'écris

J'écris pour ne pas que les parois de la blessure de la petite fille se referment sur elle sans qu'elle ait eu le temps de vivre. Une pièce inachevée traîne sur le bureau. Deux personnages sont sur le devant d'une scène. (Deux femmes/deux hommes/ou un homme et une femme.) Derrière eux, un couloir de lumière fend la scène en deux, en largeur, illuminant une corde tendue de part en part. Les deux personnages parlent de tout et de rien. Ils se plaisent. Un vieil homme avec une moustache blanche, petit, traverse la scène doucement. Il porte des pantalons trop larges retenus par des bretelles larges et rayées d'un modèle ancien sur un maillot de corps à boutons comme nos grands-pères en portaient. Il marche à petits pas, avec précaution, en se traînant les pieds. Il porte des pantoufles de cuir usées. Un des personnages sursaute et se retourne en l'entendant passer, un peu effrayé.

– L'un(e): Qu'est-ce que c'est?

– L'autre: *(Sur un ton très calme.)* C'est rien. Juste un aveugle qui s'en va pisser.

La mort sommeille, pendue au fond de moi. Et je me lève à demi, ma potence au creux des reins.

Je ne sais pas mourir.

L'acharnée

ELLE A PESÉ de toutes ses forces dessus. Elle a promené son pied dessus comme sur un mégot récalcitrant. Elle a bien gratté le trottoir. Elle a pris une allumette, elle l'a allumée d'un revers sec et elle a mis le feu à la poudre blanche. Elle a craché dessus et, plusieurs fois, elle a refait sa salive dans sa bouche, consciencieusement. Elle en a mis beaucoup. Elle a pris un morceau de son mouchoir en papier, elle l'a posé dessus et elle a regardé s'absorber le liquide visqueux. Elle a vidé de l'essence à briquet sur le mouchoir, elle a allumé une autre allumette et elle a flambé le mouchoir. Elle a pris les cendres encore chaudes et elle les a mises dans une petite boîte en métal qu'elle avait toujours sur elle. Elle a scellé la boîte avec de la cire. Elle a contourné sa maison, elle a creusé un grand trou et elle a mis la boîte au fond avec une pierre dessus. Elle a refermé le trou avec de la terre. Elle a appelé un ouvrier, elle a fait couler une dalle en béton sur le trou recouvert et, sur la dalle, elle a fait planter des piquets de fer pour que personne ne s'y assoie. Elle a mis des barbelés autour. Elle a couru dans sa maison, elle a pris ses bagages et elle a remis ses clefs au nouveau propriétaire.

Elle s'est enfuie, on ne l'a plus revue.

Loin, loin, loin de cette capsule de cyanure qu'elle avait fait fabriquer juste pour voir la mort de près.

Mémoires courtes

Elle vint au monde.

D'abord, elle eut peur de la vie. Puis, elle eut peur de la mort.

Ensuite, dans le désordre, elle eut peur des autres, elle eut peur d'elle et elle eut peur de l'amour. À nouveau, elle eut peur de la mort, puis elle mourut.

On ne sait pas ce qu'il advint d'elle après, et si elle cessa d'avoir peur.

Adieux fondus en vue de vivre

DIMANCHE 11 octobre 1987

Je n'ai jamais rien vu de pire, ni dans les livres sur la Seconde Guerre mondiale, ni dans les images de télévision venues du Viêt-nam, du Liban, du Biafra, des camps de concentration et autres goulags, je n'ai jamais rien vu de pire que le visage de ma mère à qui il ne reste que quelques heures à vivre.

Novembre 1987

Je ne veux pas te quitter mais tu me quitteras. Et tu oublieras de me dire adieu. Non, tu n'oublieras pas. Seulement, tu ne sauras pas comme c'est important, tu négligeras. La tête te tournera, amoureuse du vertige. Tu t'en iras trop vite et je resterai seule au milieu d'un champ fertile jusqu'à ce que le désert me rejoigne. Je sais d'avance que je finirai mon amour seule, portes battantes.

Déjà que cet amour ne porte pas de nom.

Nuit du 11 au 12 octobre 1987

Elle a les yeux au beurre noir, petit raton laveur dérisoire. Elle porte un loup pour le bal qu'elle ne se décide pas à quitter. Elle a les joues rentrées, sa fatigue est infinie. Je n'ai jamais vu quelqu'un d'aussi fatigué que ma mère, quelques heures avant de mourir. Punk involontaire, ses cheveux noirs et blancs qui n'ont jamais réussi à être gris sont plaqués à son crâne, tassés d'un seul côté.

Je n'ai jamais rien vu de pire que cette ancienne beauté de 20 ans dévorée cellule par cellule dans sa jungle.

Décembre 1987

Ma patience est aussi longue que le destin d'une amande, croquante sous l'épreuve des mots. Je ne peux pas te dire je t'aime à tout propos. Je me souviens de chaque instant de ce millénaire et de chaque instant de celui qui s'en vient. Le temps, mon amour, est rarement ce qu'on en pense. Nous sommes des cailloux qui saignent, dos aux murs. Nos langues sont liées au sommet du déluge. Prends-moi dans tes bras que je te console et pleure dans mes cheveux. Je veux que tu les blanchisses de ton sel, un à un. Nous n'avons plus beaucoup de temps.

Lundi 12 octobre 1987

Elle porte sur son visage le condensé de 20 ans d'attaques surprises en pleine nuit, de raids

sans pitié. Quel est son âge? Elle meurt doucement au milieu des ruines. La guerre est finie
mais elle continue la résistance sur tous les
fronts, clandestine dans sa propre souffrance,
chicot calciné, rabougri, avec tout l'amour de la
vie dedans.

Tu as raison de tenir. Même quand la vie
n'est pas belle, on a envie de l'épouser et de lui
faire des petits. Je suis comme toi.

Janvier 1988

«L'amour, c'est une grenade au dedans rouge,
une plaie, un destin. C'est une feuille au vent qui
bouge, comme les lignes dans une main.»

J'ai commencé une chanson. Tu ne te doutes
pas encore que nous vivrons un adieu qui ne sera
pas consommé. Tu ris à pleine bouche en renver-
sant ta tête en arrière et en passant ta main dans
tes cheveux. Je te mange des yeux pour ne rien
oublier mais je ne prends plus de photos. Je suis
déjà en train de souffrir.

Je me demande quel jour ce sera. Parce qu'il
y aura une date. Et même si je ne veux pas, je
m'en souviendrai.

Nuit du 12 au 13 octobre 1987

Je me demande quel jour tu choisiras. Parce
qu'il y aura une date. Et même si je ne veux pas,
je m'en souviendrai.

Vas-y, maman. Reste ou pars, fais ce que tu veux. Résiste comme tu veux. Résiste. Ne rends pas les armes facilement, on ne nous aura pas fait croire impunément qu'elles étaient en chiffons. Ton corps brave la mort, en pleine pénurie de munitions. Depuis combien de temps tu n'as plus de munitions? Tu es cette effrontée Carcasse qui jetait des vivres par-dessus les murailles de sa ville pour faire croire à l'ennemi aux dents glacées que ses gens pouvaient soutenir un siège sans fin. La ville sauvée s'appelle aujourd'hui Carcassonne.

Tout le monde t'a crue. Tu ne mentais pas, tu y croyais.

Février 1988

Je dors à la journée longue pour que ce temps passe plus vite. C'est à peine si je m'éveille pour vivre juste ce qu'il faut de vie pour ne pas mourir. Quand je ne dors pas, je te regarde. Je sais maintenant que tu ne diras rien. Que tu ne verras peut-être rien avant le jour même. Tu ne m'aideras pas non plus. Je ne serai jamais prête à temps. Je suis dans l'antichambre d'un adieu avec qui j'ai rendez-vous, et j'attends qu'il me reçoive en fumant cigarette sur cigarette.

Nuit du 12 au 13 octobre 1987

Tu es puissante. Ton corps continue sa résistance forcenée sans ton esprit. Tu es partie sans lui dire de lâcher prise, sans lui laisser d'adresse pour te rejoindre. Il tient bon. Il te fait respirer, il te nourrit alors que tu ne manges plus depuis douze jours. Il te fait dormir, il te tient chaude. Tu ne bouges pas. Ton corps est devenu radin, il économise tes forces. Tu vis sans machines, autonome. Tu n'as plus envie qu'on t'aide à t'empêcher de mourir. Tu t'es sauvée de nous, seule dans une oasis du temps, pour harnacher ta peur ruante. Tu forces notre respect, tu l'as. Vas-y, maman. Ton corps est ouvert, je peux te flatter partout. Et ta peau, hier si fine, est figée dans la cire. Peux-tu sentir ma main de ce lieu étrange où tu me regardes, caressant ton corps fini.

Début mars 1988

On me dit que *La déposition* a été un succès. On me dit que je suis devenue une auteure de théâtre. On va vite. Je n'en sais rien. Ce que j'ai d'espace disponible ne me sert qu'à respirer. J'en viens à désirer cet adieu menteur qui fait croire à tout le monde qu'il ne viendra pas, ivre mort. Je ne vivrai pas les derniers moments avec toi dans la fraude.

Mardi 13 octobre 1987

C'est aujourd'hui, à 12 h 50. Depuis 20 ans, à chaque minute, je n'ai rien trouvé pour y faire face. La peine est venue, facile. Je l'ai laissée entrer pour ne pas rester seule, mais je suis restée seule. Elle a fait son travail de taupe jusqu'à faire de moi un grand trou. Personne ne nous prévient jamais que la mort de notre mère nous enferme

dans un labyrinthe dont tous les couloirs mènent
à la solitude. Les gens ne sont pas généreux.

Mardi 15 mars 1988

C'est aujourd'hui. L'adieu s'est présenté, tu
n'étais pas avec lui. Tu aimes ailleurs. J'ai eu peur
que l'adieu me squatte, j'ai refusé de lui parler.
Depuis des mois, à chaque minute, je n'ai rien
trouvé pour lui faire face. La peine a suivi, facile.
Je l'ai laissée entrer pour ne pas rester seule. Elle
a fait son travail de taupe. Moi qui croyais être
une terre de roches. Je devrai peut-être abandonner ce terrain. Je ne peux plus rien y construire.

1991

Septième cigarette.

Brel dit: «J'ai horreur de m'en remettre.» Moi aussi.
Mais je m'en remets.

Douzième cigarette.

Je trouve une phrase de Paul Éluard: «Il n'y a pas de
hasard, il n'y a que des rendez-vous.» On trouve de tout
dans le *Journal de Montréal*.

Quarantième cigarette.

Une amie dit: «Dans la vie, il n'y a pas d'adieu. Ça n'existe pas.» Pourtant, des gens nous laissent seuls. Il y a des tas de gens qui ne disent jamais adieu parce qu'ils ne savent même pas qu'ils sont partis. C'est trop difficile à savoir. Alors il faut s'inventer un adieu, pour que quelqu'un d'autre vienne.

C'est dans sa souffrance visitée que j'ai senti un adieu pris dans ma gorge.

6 juin

Aujourd'hui, mon père aurait eu 72 ans. Il en aura eu 57. Il aurait beaucoup aimé ma maison. Il aurait pêché la truite grise dans le lac et aurait su quoi faire avec ce terrain de sable et de roches qui est mon sosie, inégal, spongieux, plein de racines et d'obstacles, où les arbres poussent comme ça leur chante.

Il me manque. Encore un adieu raté.

En regardant une mésange.

Je ne vous ai pas perdus. Je suis faite de vos trous et de vos pleins, de vos noués et de vos déliés. Ensemble vous avez fait des gens qui vivent. Ce n'est pas rien. Moi je n'ai pas osé. J'ai choisi un métier où on crée des gens qui n'existent pas pour vrai mais qui peuvent hanter tout autant que des vivants. Je ne sais pas pourquoi j'ai attendu que vous soyez partis tous les deux pour le faire. Ce sera la teinte exclusive de mon histoire, tatouée par l'absence. Il ne me reste plus qu'à faire des racines. Ce n'est pas facile. Je ne peux pas vous dire adieu comme je le souhaiterais, parce que j'ai encore besoin de vous. Quand on fait des gens, on n'a jamais la paix. L'adieu commence à s'écouler au compte-gouttes dès qu'on met une personne au monde, sans jamais se vider complètement, nourri par les genoux éraflés et les petites encoches au myocarde qui jalonnent chaque vie.

Je continuerai d'être, de votre chair et de la mienne.

Après la sieste.

Le fil qui me relie à toi était déjà tissé serré d'avant nos corps, il ne se rompra pas. Je ne suis faite que de fantômes. Je veux te dire adieu parce que j'ai besoin de place. Notre histoire deviendra une simple ligne dans l'histoire du monde qui n'écrit les histoires d'amour qu'en filigrane, à moins qu'elles sentent le soufre et le scandale ou qu'elles aient tué des milliers de gens innocents. S'il y a eu un scandale dans notre histoire, c'est qu'elle se soit finie. Je viens te demander notre adieu. J'irai le planter en arbre au bord du lac. Tu ne me manqueras plus jamais comme la pluie sur la soif. Seulement, parfois, il manquera un rayon au soleil.

Adieu.

L'eau.

Tout de suite j'ai eu envie de te goûter. Tout de suite l'absence est revenue. Je la regoûte en commençant par ta voix, le seul vêtement que tu portes quand tu n'es plus là et que mon corps te cherche. Je ne veux pas consoler l'inconsolable, ce qui reste quand les bras n'en peuvent plus de tendre, ce qui survit après la mort des mots. Je veux te garder au chaud et te sentir trembler devant cet amour, inédit comme l'amour, entre mes bras, rembardes du vertige appelé par son nom, balises d'un torrent têtu qui déchire en deux.

Je vois cette chaîne autour de ton cou, pont d'or plat qui se pose alangui sur ta peau, entre les deux pans sombres de ta veste. Ta beauté se tient droite au milieu, éclairée par-dedans. Je vois ta peau douce et tes cheveux angoras coupés frais. Je ne veux pas me séparer de toi. Je vois cette enfant que j'étais recommencer sa vie depuis les origines pour te rencontrer.

Épilogue

... les sens sont morts en profondeur pour qu'on ne distingue pas – ou rien d'autre qu'un progrès de la technique de la peur – entre *Les oiseaux* de Hitchcock et une pub fasciste STOP en tout cas, je suis convaincue que les tympans sont gavés STOP que les cœurs sont très durs, et que seule la peau du dedans de cuisse porte quelque espoir de silence et de douceur...

SUZANNE JACOB, 1985

Coup de cœur

L'espoir est un enfant sauvage...

CLÉMENCE

– ENCHANTÉE. C'est un plaisir de vous rencontrer. Depuis le temps...

– On aurait pu se croiser par hasard des dizaines de fois.

– Mais on ne l'a pas fait.

– On aurait dû se croiser pourtant.

– C'est curieux, le hasard...

(Avez-vous l'heure? Quel temps fait-il? Quelle heure est-il quand il fait ce temps-là? Comment allez-vous? Voyagez-vous léger? Y a-t-il un truc pour vivre, dites-moi? Croyez-vous que nous allons avoir de l'orage? Aimez-vous la pluie? Voulez-vous me passer le sel? Croyez-vous que l'espionnage soit aussi répandu qu'on le dit? Avez-vous vu l'heure? Pensez-vous que l'hiver sera dur et long? Irez-vous faire des courses demain? Aimez-vous le soleil? Croyez-vous à la réincarnation? Avez-vous le temps? Prenez-vous des vacances dans votre lit? Prenez-vous le temps de parler quand il s'agit de vous? Aimez-vous votre vie? Rentrez-vous tard quand vous rentrez? Mangez-vous souvent au restaurant? Sortez-vous de vos gonds de temps en temps? Êtes-vous une porte? Aimez-vous le temps? Comment faites-vous pour dormir quand vous avez de la peine? Avez-vous de la peine? Croyez-vous à la télépathie? Aimez-vous la pluie? Vous regardez-vous souvent dans un miroir, dans une vitrine ou dans une fenêtre? Êtes-vous une fenêtre? Avez-vous peur de la mort? Prenez-vous souvent des vacances dans votre bain? Êtes-vous bien chez vous? Êtes-vous chez vous? Aimez-vous votre travail? Aimez-vous la peine? Aimez-vous la mer? Comment vous appelez-vous? Comment vous appelle-t-on? Quel est votre nom? Quelle est votre heure? Quelle heure fait-il quand il est ce temps-là? Savez-vous l'heure? Faites-vous la pluie et le beau temps vous-même ou les faites-vous faire par d'autres? Voulez-vous me passer votre cou un instant? Avez-vous déjà fait l'amour un jour? Comment faites-vous pour ne pas vous énerver à la banque? Êtes-vous en train de fuir quelque chose dans votre vie? Avez-vous déjà attendu quelqu'un désespérément? Attendez-vous un téléphone? Mangez-vous souvent vos propres mots ou préférez-vous ceux des autres? Sortez-vous de vos yeux de temps en temps? Êtes-vous quelqu'un qui fuit? Comment faites-vous pour dormir quand vous avez de la haine? Avez-vous de la haine? Ces yeux-là vous appartiennent-ils vraiment? Fuyez-vous quelqu'un? Savez-vous fuir? Voulez-vous vous regarder dans mes yeux? Voudriez-vous être quelqu'un d'autre? Voudriez-vous ressembler un instant à la personne que j'aime? Aimez-vous la vie? Aimez-vous la neige? Aimez-vous la pluie? Portez-vous le même nom dans l'intimité ou prenez-vous un pseudonyme? Avez-vous déjà su l'heure un jour? Aimez-vous l'heure? Aimez-vous aimer? Avez-vous besoin d'aide pour vous aimer? Ce sourire-là vous appartient-il en propre? Êtes-vous hors de vous? Aimez-vous la pluie fine? Aimez-vous la pluie drue? Croyez-vous qu'il y aura des éclairs et du tonnerre comme jadis à Sienne? Voulez-vous me passer votre regard un instant? Aimez-vous la pluie? Êtes-vous quelqu'un d'aimé? Aimez-vous la pluie?

Quand vous aurez une minute, voulez-vous m'épouser?)

— Oui, on aurait dû. Vous voulez un peu de rouge? On va passer à table bientôt, tout le monde crève de faim. J'adore le potage aux poireaux. Avez-vous l'heure? Tiens, il pleut...

Table